My First Chinese
Word-Book

我的第一本中文词汇书

琳达·甘（英） 著

外文出版社
FOREIGN LANGUAGES PRESS

First Edition 2009
Second Edition 2010

ISBN 978-7-119-04968-7
© Foreign Languages Press, Beijing, China, 2009
Published by Foreign Languages Press
24 Baiwanzhuang Road, Beijing 100037, China
http://www.flp.com.cn
Distributed by China International Book Trading Corporation
35 Chegongzhuang Xilu, Beijing 100044, China
P.O. Box 399, Beijing, China

Printed in the People's Republic of China

欢迎来中国！

WELCOME TO CHINA

Contents

目录

厨房 Chúfáng
In the Kitchen

1 微波炉 wēibōlú

2 冰箱 bīngxiāng

3 架子 jiàzi

4 锅 guō

5 茶 chá

6 鸡蛋 jīdàn

7 黄油 huángyóu

8 烤箱 kǎoxiāng

9 洗衣机 xǐyījī

1	微波炉 microwave	wēibōlú	5	茶 tea	chá
2	冰箱 fridge	bīngxiāng	6	鸡蛋 egg	jīdàn
3	架子 shelf	jiàzi	7	黄油 butter	huángyóu
4	锅 pot	guō	8	烤箱 oven	kǎoxiāng

盘子
pánzi ⑩

公寓
gōngyù ⑫

⑬ 水壶
shuǐhú

碗
wǎn ⑪

水龙头
shuǐlóngtóu ⑭

水槽
shuǐcáo ⑮

大杯
dàbēi ⑯

果酱
guǒjiàng ⑰

薄煎饼
báojiānbǐng ⑱

麦片粥
màipiànzhōu ⑲

巧克力
qiǎokèlì ⑳

9	洗衣机 washing machine	xǐyījī
10	盘子 plate	pánzi
11	碗 bowl	wǎn
12	公寓 flat	gōngyù
13	水壶 kettle	shuǐhú
14	水龙头 tap	shuǐlóngtóu
15	水槽 sink	shuǐcáo
16	大杯 mug	dàbēi
17	果酱 jam	guǒjiàng
18	薄煎饼 pancake	báojiānbǐng
19	麦片粥 cereal	màipiànzhōu
20	巧克力 chocolate	qiǎokèlì

连一连
Link running

wǎn

qiǎokèlì

chá

猜一猜 Guess

一座小楼长方方， Yí zuò xiǎolóu cháng fāngfāng,

各种食物里边藏， gèzhǒng shíwù lǐbiān cáng,

一层天天能结冰， yì céng tiāntiān néng jiébīng,

一层天天凉爽爽。 yì céng tiāntiān liángshuǎngshuǎng.

读一读 Read

周末的早上，爸爸妈妈不用去上班，我们
Zhōumò de zǎoshang, bàba māma búyòng qù shàngbān, wǒmen

也不用去上学，所以爸爸妈妈常常会有时间
yě búyòng qù shàngxué, suǒyǐ bàba māma chángcháng huì yǒu shíjiān

为我们准备一顿美味的早餐。我喜欢喝热巧
wèi wǒmen zhǔnbèi yí dùn měiwèi de zǎocān. Wǒ xǐhuan hē rè qiǎo-

克力，弟弟喜欢吃麦片粥，而我们都喜欢吃
kèlì, dìdi xǐhuan chī màipiàn zhōu, ér wǒmen dōu xǐhuan chī

妈妈做的薄煎饼。如果在上面抹一层草莓果
māma zuò de báojiānbǐng. Rúguǒ zài shàngmiàn mǒ yì céng cǎoméi guǒ-

酱的话，味道更是好极了。
jiàng de huà, wèidào gèng shì hǎojí le.

量词 Measure word

一杯茶	yì bēi chá	一杯巧克力	yì bēi qiǎokèlì
一瓶果酱	yì píng guǒjiàng	一个鸡蛋	yí gè jīdàn
两个杯子	liǎng gè bēizi	一座公寓	yí zuò gōngyù
一碗麦片粥	yì wǎn màipiànzhōu		

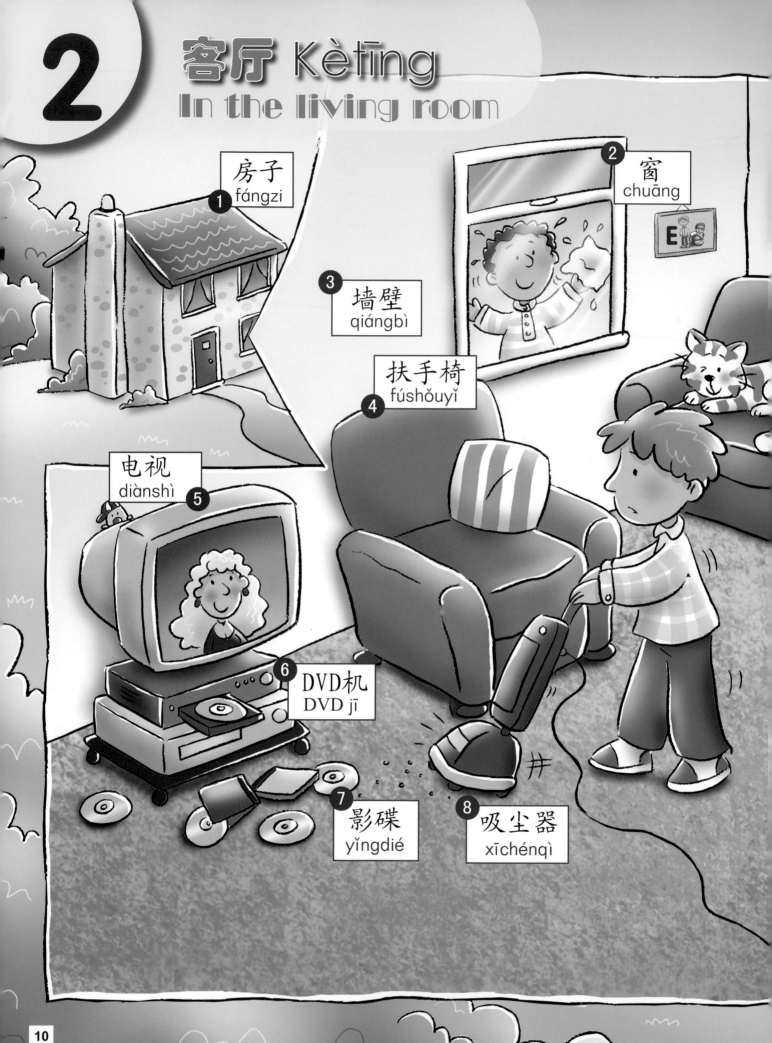

1　房子　fángzi

2　窗　chuāng

3　墙壁　qiángbì

4　扶手椅　fúshǒuyǐ

5　电视　diànshì

6　DVD机　DVD jī

7　影碟　yǐngdié

8　吸尘器　xīchénqì

画 huà
9

开关 kāiguān
10

11 门 mén

靠垫 kàodiàn
12

13 楼梯 lóutī

14 扫把 sàobǎ

地板 dìbǎn
15

16 沙发 shāfā

17 地毯 dìtǎn

电话 diànhuà
18

录像带 lùxiàngdài
19

1	房子	fángzi
	house	
2	窗	chuāng
	window	
3	墙壁	qiángbì
	wall	
4	扶手椅	fúshǒuyǐ
	armchair	
5	电视	diànshì
	television	
6	DVD机	DVDjī
	DVD player	
7	影碟	yǐngdié
	DVD	
8	吸尘器	xīchénqì
	vacuum cleaner	
9	画	huà
	picture	
10	开关	kāiguān
	switch	
11	门	mén
	door	
12	靠垫	kàodiàn
	cushion	
13	楼梯	lóutī
	stairs	
14	扫把	sàobǎ
	broom	
15	地板	dìbǎn
	floor	
16	沙发	shāfā
	sofa	
17	地毯	dìtǎn
	carpet	
18	电话	diànhuà
	telephone	
19	录像带	lùxiàngdài
	video tape	

连一连
Link running

dìanhuà

dìanshì

xīchénqì

猜一猜 Guess

丁零零，　　　　　Dīnglínglíng,

丁零零，　　　　　dīnglínglíng,

一头说话一头听。　yìtóu shuōhuà yìtóu tīng.

读一读 Read

妈妈在扫地， 爸爸在用吸尘器吸尘， 我也
Māma zài sǎodì, bàba zài yòng xīchénqì xīchén, wǒ yě

帮着整理物品， 全家一起忙， 把里里外外打
bāngzhe zhěnglǐ wùpǐn, quánjiā yìqǐ máng, bǎ lǐ lǐ wàiwài dǎ-

扫得干干净净的， 看起来真漂亮！
sǎo de gāngānjìngjìng de, kàn qǐ lái zhēn piào liang!

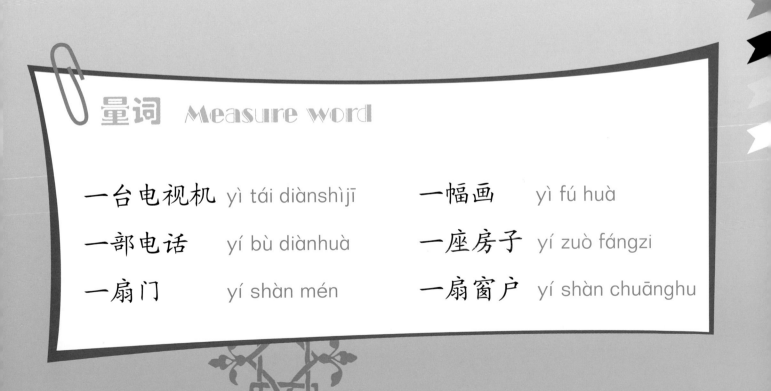

量词 Measure word

一台电视机 yì tái diànshìjī   一幅画 yì fú huà

一部电话 yí bù diànhuà   一座房子 yí zuò fángzi

一扇门 yí shàn mén   一扇窗户 yí shàn chuānghu

洋装
yángzhuāng
3

台灯
táidēng
1

衬衫
chènshān
2

枕头
zhěntou
4

裙子
qúnzi
5

衣橱
yīchú
6

女式睡衣
nǚshì shuìyī
7

女式衬衫
nǚshì chènshān
8

鞋子
xiézi
9

拖鞋
tuōxié
10

1 台灯 táidēng lamp	**4** 枕头 zhěntou pillow	**7** 女式睡衣 nǚshì shuìyī nightdress
2 衬衫 chènshān shirt	**5** 裙子 qúnzi skirt	**8** 女式衬衫 nǚshì chènshān blouse
3 洋装 yángzhuāng dress	**6** 衣橱 yīchú closet	**9** 鞋子 xiézi shoe

睡衣裤
shuìyīkù

11

双层床铺
shuāngcéng chuángpù

12

短袖圆领汗衫
duǎnxiù yuánlǐng hànshān

13

毛毯
máotǎn

14

运动鞋
yùndòngxié

15

长裤
chángkù

16

书桌
shūzhuō

17

牛仔裤
niúzǎikù

18

10 拖鞋 tuōxié	13 短袖圆领汗衫	16 长裤 chángkù
slipper	duǎnxiù yuánlǐng hànshān	pants
11 睡衣裤 shuìyīkù	T-shirt	17 书桌 shūzhuō
pajamas	14 毛毯 máotǎn	desk
12 双层床铺	blanket	18 牛仔裤 niúzǎikù
shuāngcéng chuángpù	15 运动鞋 yùndòngxié	jeans
bunk bed	sneakers	

chènshān

xiézi

qúnzi

猜一猜 Guess

两洞一样深，	Liǎng dòng yíyàng shēn,
左右很对称，	zuǒyòu hěn duìchèn,
双腿伸下去，	shuāngtuǐ shēn xiàqù,
正好齐腰深。	zhènghǎo qí yāo shēn.

读一读 Read

我的卧室里有一张床、一张书桌、一个书
Wǒ de wòshì li yǒu yì zhāng chuáng, yì zhāng shūzhuō, yí gè shū-

架，我在这里睡觉休息，看书学习。有时我
jià, wǒ zài zhèlǐ shuìjiào xiūxi, kànshū xuéxí. Yǒushí wǒ

也在这里弹吉他。卧室是我自己的自由空间。
yě zài zhèlǐ tán jítā. Wòshì shì wǒ zìjǐ de zìyóu kōngjiān.

量词 Measure word

一件衬衫 yí jiàn chènshān   一件睡衣 yí jiàn shuìyī

一条裤子 yì tiáo kùzi   一条裙子 yì tiáo qúnzi

一双鞋 yì shuāng xié   一双运动鞋 yì shuāng yùndòngxié

一张床 yì zhāng chuáng   一张书桌 yì zhāng shūzhuō

1. 镜子 jìngzi
2. 眼睛 yǎnjing
3. 牙膏 yágāo
4. 牙刷 yáshuā
5. 鼻子 bízi
6. 抽水马桶 chōushuǐ mǎtǒng
7. 卫生纸 wèishēngzhǐ
8. 洗脸盆 xǐliǎnpén
9. 手 shǒu
10. 毛巾 máojīn
11. 脚指头 jiǎozhǐtóu
12. 水 shuǐ
13. 香皂 xiāngzào

淋浴 línyù 14

脸 liǎn 15

手臂 shǒubì 16

腿 tuǐ 17

膝盖 xīgài 18

浴巾 yùjīn 19

1	镜子 mirror	jìngzi
2	眼睛 eye	yǎnjing
3	牙膏 toothpaste	yágāo
4	牙刷 toothbrush	yáshuā
5	鼻子 nose	bízi
6	抽水马桶 toilet	chōushuǐ mǎtǒng
7	卫生纸 toilet roll	wèishēngzhǐ
8	洗脸盆 basin	xǐliǎnpén
9	手 hand	shǒu
10	毛巾 towel	máojīn
11	脚指头 toe	jiǎozhǐtóu
12	水 water	shuǐ
13	香皂 soap	xiāngzào
14	淋浴 shower	línyù
15	脸 face	liǎn
16	手臂 arm	shǒubì
17	腿 leg	tuǐ
18	膝盖 knee	xīgài
19	浴巾 bath towel	yùjīn

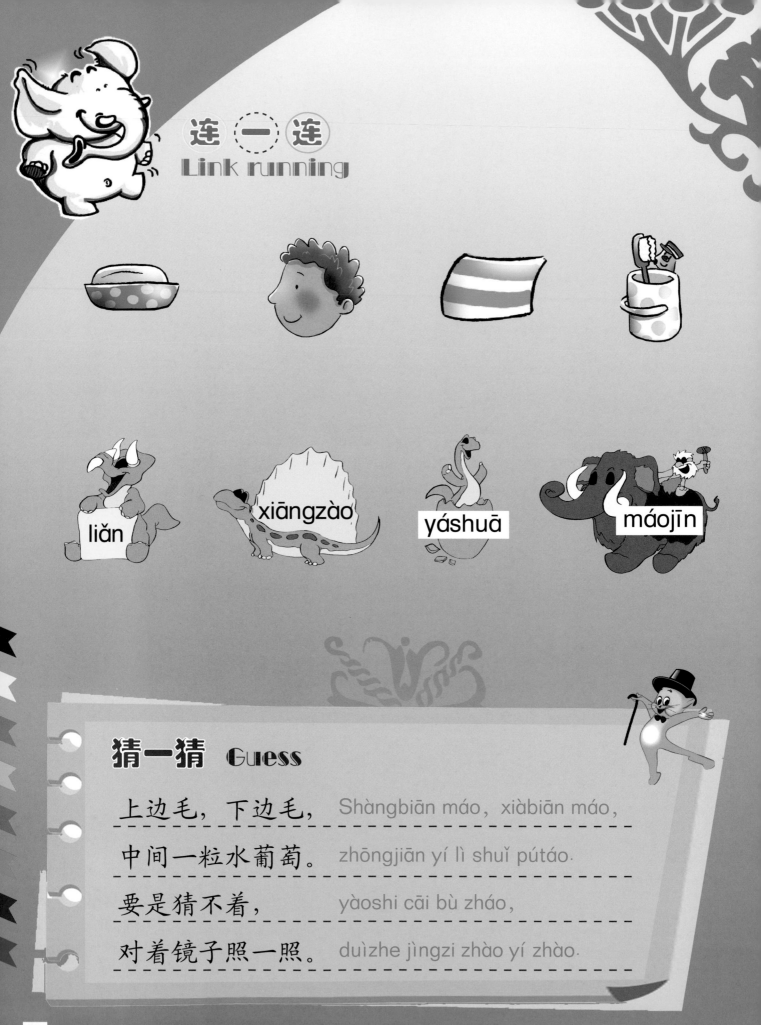

连一连
Link running

liǎn

xiāngzào

yáshuā

máojīn

猜一猜 Guess

上边毛，下边毛， Shàngbiān máo, xiàbiān máo,

中间一粒水葡萄。 zhōngjiān yí lì shuǐ pútáo.

要是猜不着， yàoshi cāi bù zháo,

对着镜子照一照。 duìzhe jìngzi zhào yí zhào.

读一读 Read

每天睡觉前我都要刷牙，冲个凉，把身上
Měitiān shuìjiào qián wǒ dōuyào shuāyá, chōng gè liáng, bǎ shēnshang

的汗、灰尘等脏的东西都冲洗掉。这样全身
de hàn、 huīchén děng zāng de dōngxi dōu chōngxǐdiào. Zhèyàng quánshēn

都感到又干净又舒服，睡觉很香很香。
dōu gǎndào yòu gānjìng yòu shūfu, shuìjiào hěn xiāng hěn xiāng.

量词 Measure word

一张嘴巴 yì zhāng zuǐba   一个鼻子 yí ge bízi

两只眼睛 liǎng zhī yǎnjing   两只耳朵 liǎng zhī ěrduo

两只脚 liǎng zhī jiǎo   两只手 liǎng zhī shǒu

两只胳膊 liǎng zhī gēbo   两条胳膊 liǎng tiáo gēbo

两条腿 liǎng tiáo tuǐ   一双手 yì shuāng shǒu

一双眼睛 yì shuāng yǎnjing   一双耳朵 yì shuāng ěrduo

1 水罐 shuǐguàn

2 刀子 dāozi

3 筷子 kuàizi

4 电饭锅 diànfànguō

5 杯子 bēizi

6 杯碟 bēidié

7 橱柜 chúguì

8 小地毯 xiǎo dìtǎn

9 汤 tāng

10 餐巾 cānjīn

11 餐垫 cāndiàn

汤匙
tāngchí

椅子
yǐzi

叉子
chāzi

玻璃杯
bōlibēi

餐桌
cānzhuō

1	水罐	shuǐguàn
	pitcher	
2	刀子	dāozi
	knife	
3	筷子	kuàizi
	chopsticks	
4	电饭锅	diànfànguō
	rice cooker	
5	杯子	bēizi
	cup	
6	杯碟	bēidié
	saucer	
7	橱柜	chúguì
	cupboard	
8	小地毯	xiǎo dìtǎn
	rug	
9	汤	tāng
	soup	
10	餐巾	cānjīn
	napkin	
11	餐垫	cāndiàn
	tablemat	
12	椅子	yǐzi
	chair	
13	汤匙	tāngchí
	spoon	
14	叉子	chāzi
	fork	
15	玻璃杯	bōlibēi
	glass	
16	餐桌	cānzhuō
	table	

连一连 Link running

cānjīn

diànfànguō

shuǐguàn

bōlíbēi

猜一猜 Guess

两个兄弟一样高，　　Liǎng gè xiōngdì yíyàng gāo，

一日三餐吃不胖。　　yí rì sān cān chī bú pàng.

我们玩了一下午，感到又累又饿，现在我
Wǒmen wánle yí xiàwǔ, gǎndào yòu lèi yòu è, xiànzài wǒ-

们坐在餐桌旁，看着妈妈准备的这些好吃的
men zuòzài cānzhuō páng, kànzhe māma zhǔnbèi de zhèxiē hǎochī de

东西，感到好馋啊。特别是这锅汤，它的味
dōngxī, gǎndào hǎo chán a. Tèbié shì zhè guō tāng, tā de wèi-

道真香啊！
dào zhēn xiāng a!

量词 Measure word

一张桌子	yì zhāng zhuōzi	一把刀	yì bǎ dāo
一把椅子	yì bǎ yǐzi	一双筷子	yì shuāng kuàizi
一张小餐垫	yì zhāng xiǎo cāndiàn	一块小餐垫	yí kuài xiǎo cāndiàn
一张小地毯	yì zhāng xiǎo dìtǎn	一块小地毯	yí kuài xiǎo dìtǎn
一个玻璃杯	yí gè bōlíbēi	一个碟子	yí gè diézi

6 下馆子 Xià guǎnzi
Eating out

PIZZA & PASTA PALACE
SAM'S SANDWICH SHOP
HOTDOG HOUSE
COFFEE CUP
1 比萨饼 bǐsàbǐng
2 意大利面 yìdàlìmiàn
3 三明治 sānmíngzhì
4 热狗 règǒu
5 咖啡 kāfēi
6 派 pài
7 松糕 sōnggāo
8 薯条 shǔtiáo
9 坐凳 zuòdèng
10 喷泉 pēnquán
11 盐 yán
12 汉堡 hànbǎo
13 可乐 kělè
14 胡椒 hújiāo
15 台布 táibù

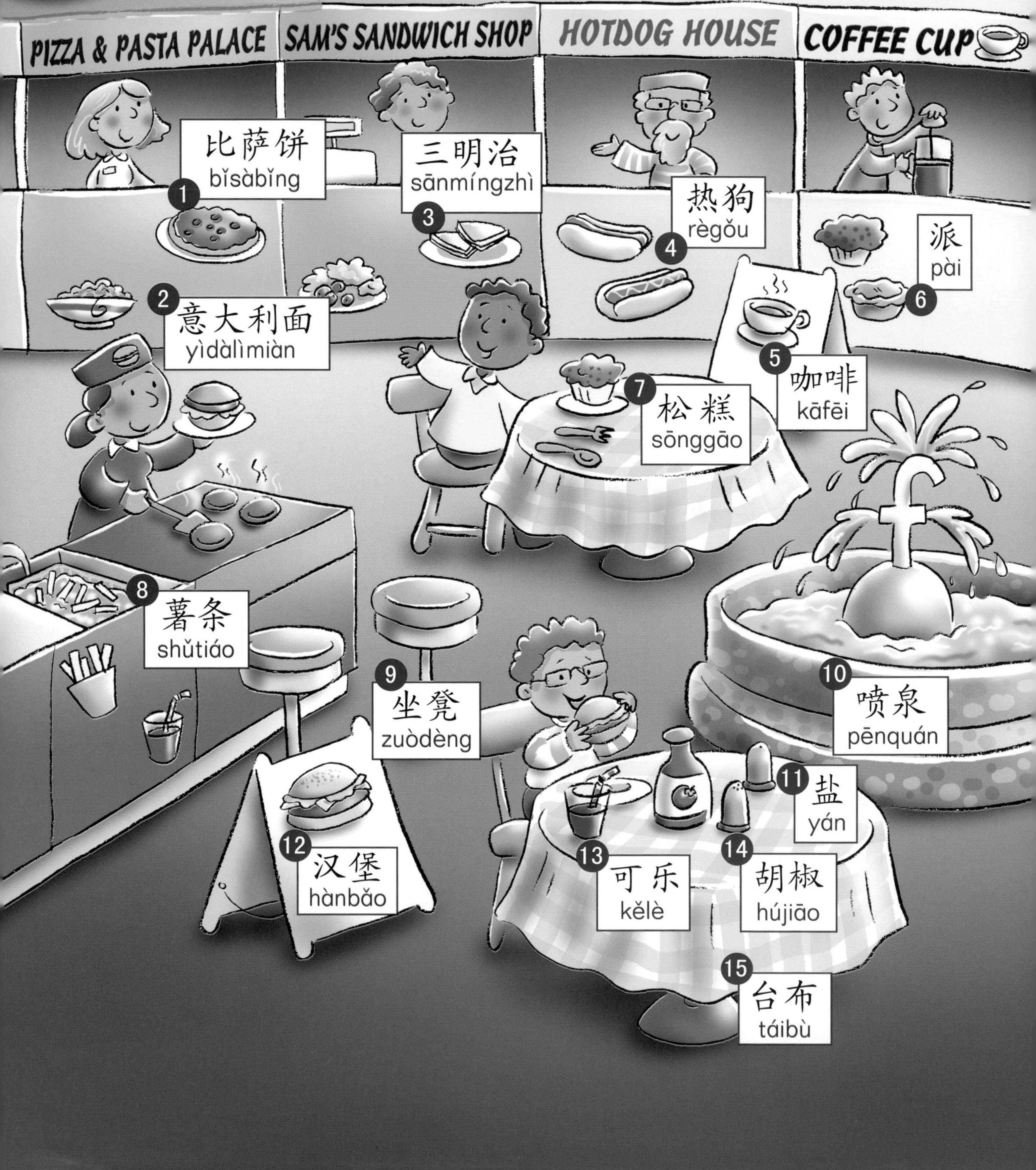

CHICKEN CHOP

FRUIT FOUNTAIN

16 鸡排 jīpái

17 香蕉 xiāngjiāo

18 调味酱 tiáowèijiàng

19 沙拉 shālā

1	比萨饼	bǐsàbǐng
	pizza	

2	意大利面	Yìdàlìmiàn
	pasta	

3	三明治	sānmíngzhì
	sandwich	

4	热狗	règǒu
	hotdog	

5	咖啡	kāfēi
	coffee	

6	派	pài
	pie	

7	松糕	sōnggāo
	muffin	

8	薯条	shǔtiáo
	French fries	

9	坐凳	zuòdèng
	stool	

10	喷泉	pēnquán
	fountain	

11	盐	yán
	salt	

12	汉堡	hànbǎo
	hamburger	

13	可乐	kělè
	cola	

14	胡椒	hújiāo
	pepper	

15	台布	táibù
	tablecloth	

16	鸡排	jīpái
	chickenchop	

17	香蕉	xiāngjiāo
	banana	

18	调味酱	tiáowèijiàng
	sauce	

19	沙拉	shālā
	salad	

连一连
Link running

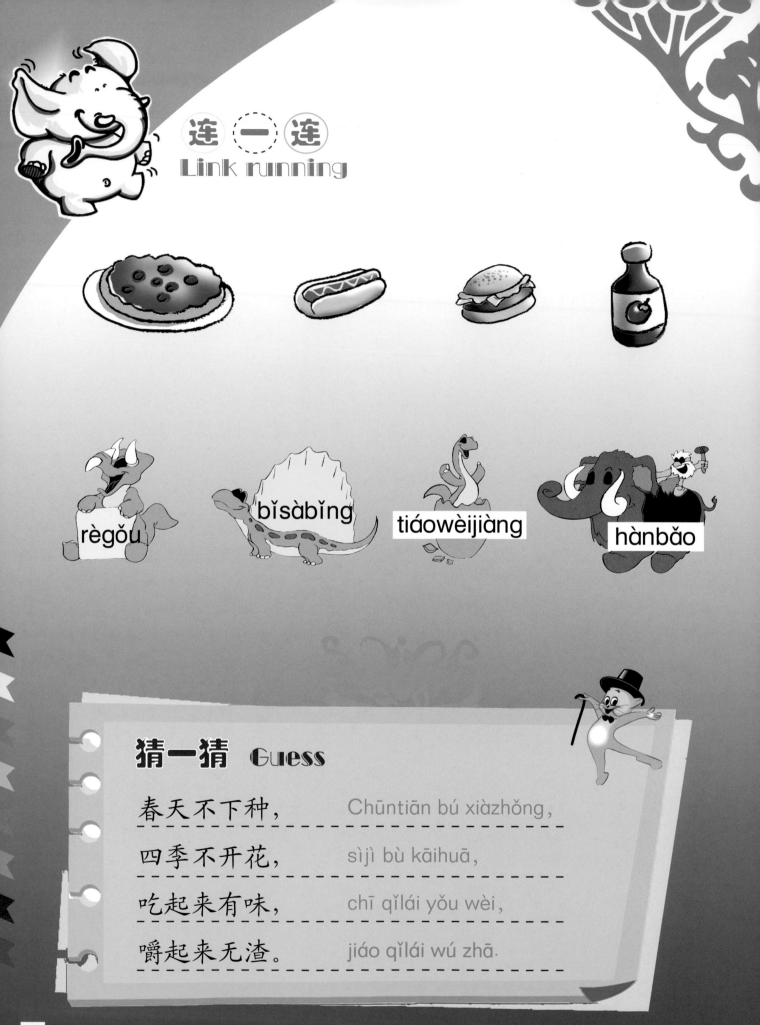

règǒu

bǐsàbǐng

tiáowèijiàng

hànbǎo

猜一猜 Guess

春天不下种，　　　Chūntiān bú xiàzhǒng,

四季不开花，　　　sìjì bù kāihuā,

吃起来有味，　　　chī qǐlái yǒu wèi,

嚼起来无渣。　　　jiáo qǐlái wú zhā.

中午，我们一般在饭馆吃快餐。饭馆里
Zhōngwǔ, wǒmén yìbān zài fànguǎn chī kuàicān. Fànguǎn li

什么都有：汉堡、比萨饼、热狗、意大利
shénme dōu yǒu: hànbǎo、 bǐsàbǐng、 règǒu、 Yìdàlì-

面……究竟吃什么好呢？有时真让人拿不定
miàn …… jiūjìng chī shénme hǎo ne? Yǒushí zhēn ràng rén ná búdìng

主意，什么都想吃！
zhǔyì, shénme dōu xiǎng chī!

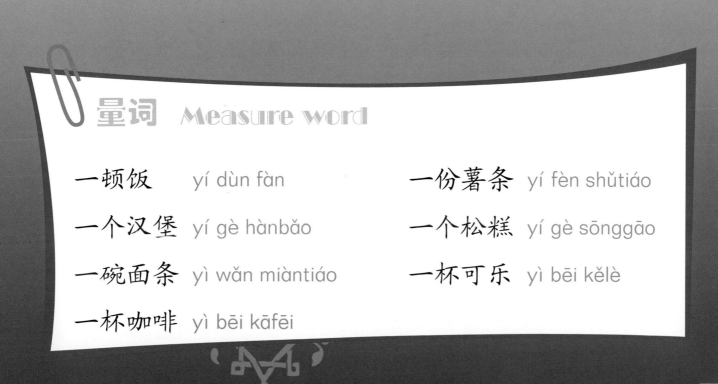

量词 Measure word

一顿饭	yí dùn fàn	一份薯条	yí fèn shǔtiáo
一个汉堡	yí gè hànbǎo	一个松糕	yí gè sōnggāo
一碗面条	yì wǎn miàntiáo	一杯可乐	yì bēi kělè
一杯咖啡	yì bēi kāfēi		

1 摩天轮 mótiānlún

2 出 chū

3 鬼屋 guǐwū

4 进 jìn

5 碰碰车 pèngpèngchē

6 爆米花 bàomǐhuā

7 棉花糖 miánhuātáng

8 太空飞鼠 tàikōng fēishǔ

过山车
guòshānchē

旋转木马
xuánzhuǎn mùmǎ

缆车
lǎnchē

安全帽
ānquánmào

入口
rùkǒu

出口
chūkǒu

售票亭
shòupiàotíng

1	摩天轮	mótiānlún
	ferris wheel	

2	出	chū
	out	

3	鬼屋	guǐwū
	Haunted House	

4	进	jìn
	in	

5	碰碰车	
	pèngpèngchē	
	bumper car	

6	爆米花	bàomǐhuā
	popcorn	

7	棉花糖	miánhuatáng
	cotton candy	

8	太空飞鼠	
	tàikōng fēishǔ	
	Mad Mad Mouse	

9	过山车	guòshānchē
	roller coaster	

10	旋转木马	
	xuánzhuǎn mùmǎ	
	merry-go-round	

11	缆车	lǎnchē
	cable car	

12	安全帽	ānquánmào
	helmet	

13	入口	rùkǒu
	entrance	

14	出口	chūkǒu
	exit	

15	售票亭	shòupiàotíng
	ticket booth	

连一连
Link running

miánhuatáng

pēngpèngchē

tàikōng fēishǔ

猜一猜 Guess

一种车子真奇怪，　Yì zhǒng chēzi zhēn qíguài,

根本不怕被撞坏，　gēnběn bú pà bèi zhuànghuài,

横行霸道左右闯，　héngxíngbàdào zuǒyòu chuǎng,

从来不上马路来。　cónglái bú shàng mǎlù lái.

读一读 Read

"你想玩什么？"
"Nǐ xiǎng wán shénme?"

"我还没想好。"
"Wǒ hái méi xiǎnghǎo."

"我们坐一次摩天轮吧？"
"Wǒmen zuò yí cì mótiānlún ba?"

"不，那个太高了，我害怕。"
"Bù, nà gè tài gāo le, wǒ hàipà."

"那坐一次过山车吧？"
"Nà zuò yí cì guòshānchē ba?"

"不，那太快了，我受不了。"
"Bù, nà tàikuài le, wǒ shòubùliǎo."

"你什么都不敢玩，那你来干什么？"
"Nǐ shénme dōu bù gǎn wán, nà nǐ lái gàn shénme?"

"我们还是玩一次碰碰车吧？"
"Wǒmen háishì wán yí cì pèngpèngchē ba?"

"哦，总是玩碰碰车呀？我都玩腻了！"
"Ò, zǒngshì wán pèngpèngchē ya? Wǒ dōu wánnì le!"

量词 Measure word

一张门票 yì zhāng ménpiào　　一袋爆米花 yí dài bàomǐhuā

一顶帽　　 yì dǐng mào　　　 一个棉花糖 yí gè miánhuatáng

一台碰碰车 yí tái pèngpèngchē

给爸妈的饮料
Gěi bàmā de yǐnliào
Drinks for mother and father

妈妈吸尘，爸爸擦窗户。
Māma xīchén, bàba cā chuānghu.

他们忙得满头大汗，
Tāmen máng de mǎntóu dàhàn,

一定又累又渴。
yídìng yòu lèi yòu kě.

艾立和艾迪在厨房为爸爸妈妈准备饮料。
Àilì hé Àidí zài chúfáng wèi bàba māma zhǔnbèi yǐnliào.

艾立从架上拿了一个大杯子，
Àilì cóng jià shàng nále yí gè dà bēizi,

把巧克力放在大杯子里，倒了些开水，
bǎ qiǎokèlì fàngzài dà bēizi li, dàole xiē kāishuǐ,

然后又加了一些爆米花。
ránhòu yòu jiāle yìxiē bàomǐhuā.

艾迪从架上拿了
Àidí cóng jià shàng nále

一个玻璃杯，倒了
yí gè bōlibēi, dàole

一些凉开水。
yìxiē liáng kāishuǐ.

艾立把做好的热巧克力爆米花拿
Àilì bǎ zuòhǎo de rè qiǎokèlì bàomǐhuā ná

给妈妈，妈妈却想喝茶，艾立自
gěi māma， māma què xiǎng hēchá， Àilì zì-

己把热巧克力爆米花喝了！
jǐ bǎ rè qiǎokèlì bàomǐhuā hē le!

艾迪把凉开水送给爸爸，
Àidí bǎ liáng kāishuǐ sònggěi bàba，

爸爸却想喝咖啡！
bàba què xiǎng hē kāfēi!

艾迪自己把凉开水喝了。
Àidí zìjǐ bǎ liáng kāishuǐ hē le.

巧克力爆米花饮料 A Chocolate Popcorn Drink
Qiǎokèlì bàomǐhuā yǐnliào

原料
yuánliào
ingredent

巧克力
qiǎokèlì
chocolate

热水
rèshuǐ
hot water

爆米花
bàomǐhuā
popcorn

大杯
dàbēi
mug

做法 Zuòfǎ What To Do

1. 把巧克力放在杯子里。
   Bǎ qiǎokèlì fàngzài bēizi li.
   Put the chocolate in the mug.

2. 往杯子里倒些开水。
   Wǎng bēizi li dào xiē kāishuǐ.
   Put hot water in the mug.

3. 然后再倒入爆米花。
   Ránhòu zài dàorù bàomǐhuā.
   Put popcorn in the chocolate.

9

艾迪的生日会
Àidí de shēngrì huì
At Eddie's birthday party

Happy Birthday Eddie

1 气球 qìqiú

2 卡片 kǎpiàn

3 男孩 nánhái

4 女孩 nǚhái

5 礼物 lǐwù

6 生日帽 shēngrìmào

7 悠悠球 yōuyōuqiú

8 棋盘游戏 qípán yóuxì

9 奶昔 nǎixī

Party Games

弹跳城堡
tántiào chéngbǎo

照相机
zhàoxiàngjī

蜡烛
làzhú

火柴
huǒchái

蛋糕
dàngāo

糖果
tángguǒ

果冻
guǒdòng

甜甜圈
tiántiánquān

香肠
xiāngcháng

1	气球	qìqiú
	balloon	
2	卡片	kǎpiàn
	card	
3	男孩	nánhái
	boy	
4	女孩	nǚhái
	girl	
5	礼物	lǐwù
	gift	
6	生日帽	shēngrìmào
	party hat	
7	悠悠球	yōuyōuqiú
	yo-yo	
8	棋盘游戏	qípán yóuxì
	board game	
9	奶昔	nǎixī
	milk shake	
10	弹跳城堡	
	tántiào chéngbǎo	
	Bouncy Castle	
11	照相机	zhàoxiàngjī
	camera	
12	蜡烛	làzhú
	candle	
13	火柴	huǒchái
	match	
14	蛋糕	dàngāo
	cake	
15	糖果	tángguǒ
	candy	
16	果冻	guǒdòng
	jello	
17	甜甜圈	tiántiánquān
	doughnut	
18	香肠	xiāngcháng
	sausage	

连一连
Link running

nǎixī

tángguǒ

tiántiánquān

qìqiú

猜一猜 Guess

甜甜奶油上面坐， Tiántián nǎiyóu shàngmiàn zuò,

五颜六色花样多， wǔyánliùsè huāyàng duō,

点燃蜡烛唱支歌， diǎnrán làzhú chàng zhī gē,

祝你生日多快乐。 zhù nǐ shēngrì duō kuàilè.

今天艾迪过生日。妈妈给他举办了一个生
Jīntiān Àidí guò shēngrì. Māma gěi tā jǔbànle yí gè shēng-

日会，小朋友们都来了，还带着生日礼物。
rì huì, xiǎopéngyǒu men dōu lái le, hái dàizhe shēngrì lǐwù.

现在大家都正玩得很高兴呢。你看，有的小
Xiànzài dàjiā dōu zhèngwán de hěn gāoxìng ne. Nǐ kàn, yǒu de xiǎo

朋友在玩棋盘游戏，有的在玩悠悠球，有的
péngyǒu zài wán qípán yóuxì, yǒu de zài wán yōuyōuqiú, yǒu de

在弹跳城堡里使劲蹦跳。等大家玩累了，好
zài tántiào chéngbǎo li shǐjìn bèngtiào. Děng dàjiā wánlèi le, hǎo

吃生日蛋糕啊。
chī shēngrì dàngāo a.

量词 Measure word

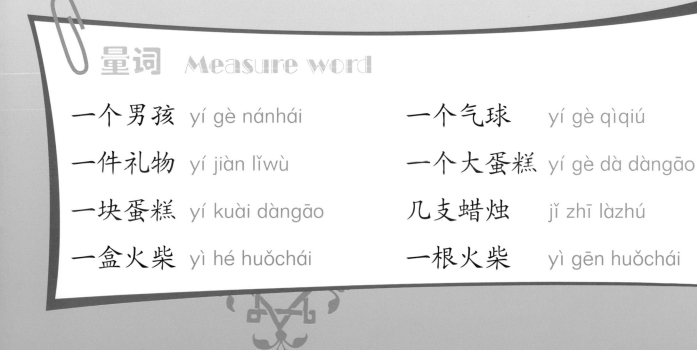

一个男孩 yí gè nánhái	一个气球 yí gè qìqiú
一件礼物 yí jiàn lǐwù	一个大蛋糕 yí gè dà dàngāo
一块蛋糕 yí kuài dàngāo	几支蜡烛 jǐ zhī làzhú
一盒火柴 yì hé huǒchái	一根火柴 yì gēn huǒchái

海滩 Hǎitān
At the beach

1 伞 sǎn

2 游泳 yóuyǒng

3 海 hǎi

4 冰淇淋 bīngqílín

5 融化 rónghuà

6 球 qiú

7 挤 jǐ

8 帽子 màozi

9 垫子 diànzi

10 太阳镜 tàiyángjìng

11 凉鞋 liángxié

12 贝壳 bèiké

水上摩托车
shuǐshàng mótuōchē

划
huá

冲浪
chōnglàng

铲子
chǎnzi

沙堡
shābǎo

水桶
shuǐtǒng

沙
shā

1	伞	sǎn
	umbrella	

2	游泳	yóuyǒng
	swim	

3	海	hǎi
	sea	

4	冰淇淋	bīngqílín
	ice cream	

5	融化	rónghuà
	melt	

6	球	qiú
	ball	

7	挤	jǐ
	squeeze	

8	帽子	màozi
	hat	

9	垫子	diànzi
	mat	

10	太阳镜	tàiyángjìng
	sunglasses	

11	凉鞋	liángxié
	sandal	

12	贝壳	bèiké
	seashell	

13	水上摩托车 shuǐshàng mótuōchē
	jetski

14	划	huá
	paddle	

15	冲浪	chōnglàng
	surf	

16	铲子	chǎnzi
	shovel	

17	水桶	shuǐtǒng
	bucket	

18	沙堡	shābǎo
	sandcastle	

19	沙	shā
	sand	

连一连
Link running

chǎnzi

liángxié

bèiké

qiú

猜一猜 Guess

一物天生真是巧，　Yí wù tiānshēng zhēnshi qiǎo,

位置总比主人高。　wèizhi zǒngbǐ zhǔrén gāo.

主人用它挡风寒，　zhǔrén yòng tā dǎng fēnghán,

有时用它挡日照。　yǒu shí yòng tā dǎng rìzhào.

若无风寒与日照，　ruò wú fēnghán yǔ rìzhào,

主人用它只为俏。　zhǔrén yòng tā zhǐ wèi qiào.

读一读 Read

天空蓝蓝的，大海蓝蓝的，白云像帆，帆
Tiānkōng lánlán de, dàhǎi lánlán de, báiyún xiàng fān, fān

像白云。我们在海水里、沙滩上运动、玩游
xiàng báiyún. Wǒmen zài hǎishuǐ li、 shātān shang yùndòng、 wán yóu-

戏、休息，享受快乐的时光。
xì, xiūxi, xiǎngshòu kuàilè de shíguāng.

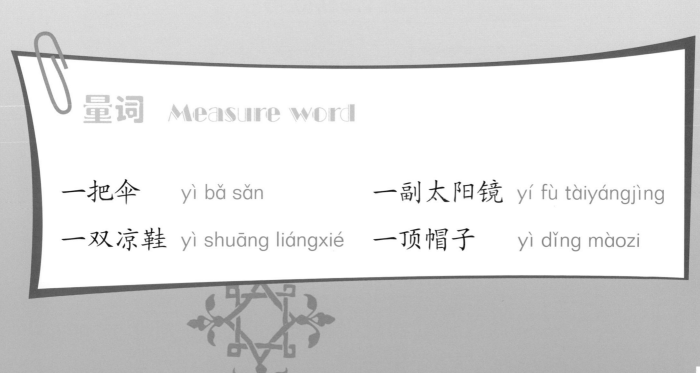

量词 Measure word

| 一把伞 | yì bǎ sǎn | 一副太阳镜 | yí fù tàiyángjìng |
| 一双凉鞋 | yì shuāng liángxié | 一顶帽子 | yì dǐng màozi |

超级市场 Chāojí shìchǎng
At the supermarket

1 面条 miàntiáo

2 肉 ròu

3 面包 miànbāo

4 篮子 lánzi

5 米 mǐ

6 饼干 bǐnggān

7 拖把 tuōbǎ

胡萝卜 húluóbo

土豆 tǔdòu

8

9

FRUIT and VEGETABLES

10 草莓 cǎoméi

11 葡萄 pútáo

12 苹果 píngguǒ

13 橙子 chéngzi

| 4 | 篮子 basket | lánzi |

| 2 | 肉 meat | ròu | | 5 | 米 rice | mǐ |

| 1 | 面条 noodles | miàntiáo | | 3 | 面包 bread | miànbāo | | 6 | 饼干 cookie | bǐnggān |

44

14 牛奶 niúnǎi

15 果汁 guǒzhī

16 手推车 shǒutuīchē

17 番茄 fānqié

18 收银台 shōuyíntái

13	橙子	chéngzi
	orange	
14	牛奶	niúnǎi
	milk	
15	果汁	guǒzhī
	juice	
16	手推车	shǒutuīchē
	cart	
17	番茄	fānqié
	tomato	
18	收银台	shōuyíntái
	checkout	

7 拖把 tuōbǎ
mop

8 胡萝卜 húluóbo
carrot

10 草莓 cǎoméi
strawberry

9 土豆 tǔdòu
potato

11 葡萄 pútáo
grape

12 苹果 píngguǒ
apple

niúnǎi

miànbāo

guǒzhī

猜一猜 Guess

穿着黄外套，	Chuānzhe huáng wàitào,
弯弯像月牙。	wānwān xiàng yuèyá.
脱掉黄外套，	tuōdiào huáng wàitào,
吃着软甜香。	chīzhe ruǎn tián xiāng.

我们楼下新开了一家超市。超市里的商品
Wǒmen lóuxià xīn kāile yì jiā chāoshì. Chāoshì li de shāngpǐn

丰富多彩，品种齐全。蔬菜、水果、粮食、
fēngfùduōcǎi, pǐnzhǒng qíquán. Shūcài、 shuǐguǒ、 liángshi、

肉、鸡蛋、鲜奶、饮料、面包等各种日常用
ròu、 jīdàn、 xiānnǎi、 yǐnliào、miànbāo děng gè zhǒng rìcháng yòng-

品应有尽有。住在这里生活真方便。
pǐn yīngyǒujìnyǒu. Zhù zài zhèlǐ shēnghuó zhēn fāngbiàn.

量词 Measure word

十斤米	shí jīn mǐ	一块面包	yí kuài miànbāo
一盒牛奶	yì hé niúnǎi	一盒饼干	yì hé bǐnggān
一瓶果汁	yì píng guǒzhī	一串葡萄	yí chuàn pútáo
一辆手推车	yí liàng shǒutuīchē	一架手推车	yí jià shǒutuīchē

Computers

电梯 diàntī

电子游戏 diànzǐ yóuxì

笔记本电脑 bǐjìběn diànnǎo

电脑 diànnǎo

店员 diànyuán

SUN MALL

相框 xiàngkuàng

时钟 shízhōng

巧克力 qiǎokèlì

耳环 ěrhuán

手表 shǒubiǎo

戒指 jièzhǐ

Sale

1	电梯 elevator	diàntī	4	电脑 computer	diànnǎo
2	电子游戏 computer game	diànzǐ yóuxì	5	店员 shopkeeper	diànyuán
3	笔记本电脑 laptop	bǐjìběn diànnǎo	6	相框 picture frame	xiàngkuàng

7	时钟 shízhōng clock
8	巧克力 qiǎokèlì chocolate
9	手表 shǒubiǎo watch
10	耳环 ěrhuán earring
11	戒指 jièzhǐ ring
12	手提包 shǒutíbāo handbag
13	女用钱包 nǚyòng qiánbāo purse
14	男用钱包 nányòng qiánbāo wallet
15	雨伞 yǔsǎn umbrella
16	袜子 wàzi sock
17	自动扶梯 zìdòng fútī escalator

连 一 连
Link running

yǔsǎn

shǒutíbāo

diànnǎo

wàzi

猜一猜 Guess

姐妹三人齐上路，　Jiěmèi sān rén qí shànglù,

有快有慢不停步，　yǒu kuài yǒu màn bù tíng bù,

走了三百六十日，　zǒule sānbǎi liùshí rì,

没有走出玻璃铺。　méiyǒu zǒuchū bōlí pù.

离我家不远，新开了一家购物中心。这家
Lí wǒ jiā bù yuǎn， xīn kāile yì jiā gòuwù zhōngxīn. Zhè jiā

购物中心特别大，一共有八层，每一层都很
gòuwù zhōngxīn tèbié dà， yígòng yǒu bācéng， měi yì céng dōu hěn

大。除了购物以外，里面还有快餐店、咖啡
dà. Chúle gòuwù yǐwài， lǐmiàn hái yǒu kuàicān diàn、 kāfēi

屋、儿童乐园、游戏城。如果你进去了，一
wū、 értóng lèyuán、 yóuxì chéng. Rúguǒ nǐ jìnqù le， yì

天都不需要出来。
tiān dōu bù xū yào chū lái.

量词 Measure word

一家商店 yì jiā shāngdiàn   一台电脑 yì tái diàn nǎo

一块手表 yí kuài shǒubiǎo   一个钱包 yí gè qiánbāo

一双袜子 yì shuāng wàzi   一双耳环 yì shuāng ěrhuán

13

玩具店 Wánjùdiàn
At the toy shop

5 木偶 mùǒu

1 镖靶 biāobǎ

2 泡泡 pàopao

3 洋娃娃 yángwáwa

4 飞镖 fēibiāo

6 盒子 hézi

遥控汽车 yáokòng qìchē

7 滑板 huábǎn

8

9 水枪 shuǐqiāng

10 玩具熊 wánjùxióng

11 风筝 fēngzheng

12 玩具兵 wánjùbīng

13 机器人 jīqìrén

1	镖靶 dartboard	biāobǎ			
2	泡泡 bubble	pàopao	5	木偶 puppet	mùǒu
3	洋娃娃 doll	yángwáwa	6	盒子 box	hézi
4	飞镖 dart	fēibiāo	7	滑板 skateboard	huábǎn

8 遥控汽车 yáokòng qìchē remote control car

14 玩具 wánjù

15 玩偶屋 wánǒu wū

呼拉圈 hūlāquān

拼图 pīntú

托盘 tuōpán

9	水枪	shuǐqiāng
	water gun	
10	玩具熊	wánjùxióng
	bear	
11	风筝	fēngzheng
	kite	
12	玩具兵	wánjùbīng
	toy soldier	
13	机器人	jīqìrén
	robot	
14	玩具	wánjù
	toy	
15	玩偶屋	wánǒu wū
	dolls house	
16	拼图	pīntú
	puzzle	
17	呼拉圈	hūlāquān
	hula hoop	
18	托盘	tuōpán
	tray	

连一连
Link running

wánjù

yáng wáwa

biāobǎ

yáokòng qìchē

猜一猜 Guess

有个娃娃，　Yǒu gè wáwa,

没爸没妈，　méi bà méi mā,

不哭不笑，　bù kū bú xiào,

眼睛眨眨。　yǎnjing zhǎzhǎ.

如果逛商店的话，我最喜欢的是玩具店。
Rúguǒ guàng shāngdiàn de huà, wǒ zuì xǐhuan de shì wánjù diàn.

在那儿，可以见到各种最新的最好玩儿的玩
Zài nàr, kěyǐ jiàndào gèzhǒng zuì xīn de zuì hǎowánr de wán-

具，所有的玩具你都可以玩儿一玩儿，试一
jù, suǒyǒu de wánjù nǐ dōu kěyǐ wánr yì wánr, shì yí

试，那儿的小朋友也不少，也特别热闹，所
shì, nàr de xiǎopéngyǒu yě bùshǎo, yě tèbié rènao, suǒ-

以每次逛玩具店我都觉得时间过得特别快。
yǐ měicì guàng wánjù diàn wǒ dōu juédé shíjiān guò de tèbié kuài.

量词 Measure word

一个洋娃娃 yí gè yángwáwa   一支水枪 yì zhī shuǐqiāng

一副拼图 yí fù pīntú   一个呼拉圈 yí gè hūlāquān

一辆遥控汽车 yí liàng yáokòng qìchē

1 鸟 niǎo

2 狗 gǒu

3 金鱼 jīnyú

4 水族箱 shuǐzúxiāng

5 休重计 xiūzhòngjì

6 白鼠 báishǔ

7 仓鼠 cāngshǔ

8 天竺鼠 tiānzhúshǔ

9 鹦鹉 yīngwǔ

10 小狗 xiǎogǒu

11 猫 māo

12 兔子 tùzi

兽医
shòuyī
13

小猫
xiǎomāo
14

笼子
lǒngzi
15

宠物链
chǒngwù liàn
16

项圈
xiàngquān
17

1	鸟	niǎo
	bird	
2	狗	gǒu
	dog	
3	金鱼	jīnyú
	goldfish	
4	水族箱	shuǐzúxiāng
	aquarium	
5	体重计	tǐzhòngjì
	scales	
6	白鼠	báishǔ
	white mouse	
7	仓鼠	cāngshǔ
	hamster	
8	天竺鼠	tiānzhúshǔ
	guinea pig	
9	鹦鹉	yīngwǔ
	parrot	
10	小狗	xiǎogǒu
	puppy	
11	猫	māo
	cat	
12	兔子	tùzi
	rabbit	
13	兽医	shòuyī
	vet	
14	小猫	xiǎomāo
	kitten	
15	笼子	lǒngzi
	cage	
16	宠物链	chǒngwù liàn
	leash	
17	项圈	xiàngquān
	collar	

连一连
Link running

gǒu

xiàngquān

yīngwǔ

māo

猜一猜 Guess

红眼睛，　　　　　Hóng yǎnjīng,

白皮袄，　　　　　bái pí'ǎo,

长耳朵，　　　　　cháng ěrduo,

真灵巧，　　　　　zhēn língqiǎo,

爱吃萝卜爱吃草，　ài chī luóbo ài chī cǎo,

走起路来跳啊跳。　zǒu qǐ lù lái tiào a tiào.

我家的客厅里放了一个水族箱。里面养了
Wǒ jiā de kètīng lǐ fàngle yí gè shuǐzúxiāng. Lǐmiàn yǎngle

金鱼、热带鱼和小虾，另外还有一些水草。
jīnyú、 rèdàiyú hé xiǎoxiā, lìngwài hái yǒu yìxiē shuǐcǎo.

鱼和虾在水草中游来游去，很自在，很好看，
Yú hé xiā zài shuǐcǎo zhōng yóuláiyóuqù, hěn zìzài, hěn hǎokàn,

水族箱就像一个小海洋。
shuǐzúxiāng jiù xiàng yí gè xiǎo hǎiyáng.

量词 Measure word

一条小鱼 yì tiáo xiǎoyú   一只小狗 yì zhī xiǎogǒu

一只小猫 yì zhī xiǎomāo   一只小鸟 yì zhī xiǎoniǎo

一只兔子 yì zhī tùzi   一个笼子 yí gè lóngzi

动物园
dòngwùyuán

动物园管理员
dòngwùyuán guǎnlǐyuán

骆驼
luòtuo

熊猫
xióngmāo

狐狸
húli

袋鼠
dàishǔ

水獭
shuǐtǎ

蛇
shé

猴子
hóuzi

1	大象 elephant	dàxiàng
2	野生动物园 yěshēng dòngwùyuán Safari Park	
3	老鹰 eagle	lǎoyīng
4	鳄鱼 crocodile	èyú
5	斑马 zebra	bānmǎ
6	河马 hippopotamus	hémǎ
7	幼狮 cub	yòushī
8	狮子 lion	shīzi
9	长颈鹿 giraffe	chángjǐnglù
10	老虎 tiger	lǎohǔ
11	美洲豹 leopard	měizhōubào
12	吉普车 jeep	jípǔchē
13	动物园 zoo	dòngwùyuán
14	骆驼 camel	luòtuo
15	动物园管理员 dòngwùyuán guǎnlǐyuán zoo keeper	
16	狐狸 fox	húli
17	熊猫 panda	xióngmāo
18	袋鼠 kangaroo	dàishǔ
19	水獭 otter	shuǐtǎ
20	蛇 snake	shé
21	猴子 monkey	hóuzi

61

连 一 连
Link running

lǎohǔ

měizhōubào

bānmǎ

xióngmāo

猜一猜 Guess

说奇怪真奇怪，　　Shuō qíguài zhēn qíguài,

肚上有个大口袋，　dùshang yǒu gè dà kǒudài,

不装粮食不装菜，　bù zhuāng liángshi bù zhuāng cài,

专门来把娃娃带。　zhuānmén lái bǎ wáwa dài.

读一读 Read

动物园里有很多种动物。它们喜欢吃的
Dòngwùyuán li yǒu hěnduō zhǒng dòngwù. Tāmen xǐhuan chī de

东西各不一样。猴子爱吃香蕉，大熊猫爱
dōngxi gè bù yíyàng. Hóuzi ài chī xiāngjiāo, dà xióngmāo ài

吃竹子，长颈鹿爱吃青草，老虎、狮子喜欢
chī zhúzi, chángjǐnglù ài chī qīngcǎo, lǎohǔ、 shīzi xǐhuan

吃肉。
chī ròu.

量词 Measure word

一只猴子 yì zhī hóuzi	一头大象 yì tóu dàxiàng
一条鳄鱼 yì tiáo èyú	一只老虎 yì zhī lǎohǔ
一条蛇 yì tiáo shé	一只熊猫 yì zhī xióngmāo

16

他们喜欢做什么?
Tāmen xǐhuan zuò shénme
What do they like to do?

爱丽喜欢逛超市，她最
Àilì   xǐhuan guàng chāoshì, tā zuì

喜欢推购物车。
xǐhuan tuī gòuwùchē.

安娜喜欢逛玩具店，她最
Ànnà xǐhuan guàng wánjùdiàn, tā zuì

喜欢和洋娃娃在一起玩。
xǐhuan hé yáng wáwa zài yìqǐ wán.

艾立喜欢逛百货商场，
Àilì   xǐhuan guàng bǎihuò shāngchǎng,

去看各式各样的手表。
qù kàn gèshìgèyàng de shǒubiǎo.

艾迪喜欢跟他的宠物玩，
Àidí xǐhuan gēn tā de chǒngwù wán,

喂它吃东西。
wèi tā chī dōngxi.

爱丽、 安娜、 艾立和艾迪喜欢到沙滩去， 在那里玩球。
Àilì、   Ānnà、   Àilì hé Àidí xǐhuan dào shātān qù,   zài   nàlǐ wán qiú.

爱丽和安娜喜欢去动物
Àilì hé Ānnà xǐhuan qù dòngwù-
园，看猴子过生日。
yuán, kàn hóuzi guò shēngrì.

艾迪和艾立不喜欢去动物园，
Àidí hé Àilì bù xǐhuan qù dòngwùyuán,
他们喜欢去野生动物园。
tāmen xǐhuan qù yěshēng dòngwùyuán.

吼吼吼，
Hǒu hǒu hǒu,

肉肉肉，老虎喜欢
Ròu ròu ròu, lǎohǔ xǐhuan
吃男孩的肉！
chī nánhái de ròu!

哈哈哈！
Hā hā hā!

花园 Huāyuán
In the garden

2 蝴蝶 húdié

1 蜗牛 wōniú

3 甲虫 jiǎchóng

4 蜘蛛 zhīzhū

5 蚂蚁 mǎyǐ

6 蜥蜴 xīyì

7 岩石 yánshí

8 千足虫 qiānzúchóng

9 瓢虫 piáochóng

10 蜻蜓 qīngtíng

11 青蛙 qīngwā

12 池塘 chítáng

树
shù
13

虫
chóng
14

蜜蜂
mìfēng
15

毛毛虫
máomáochóng
16

网
wǎng
17

罐子
guànzi
18

蝌蚪
kēdǒu
19

1	蜗牛 snail	wōniú
2	蝴蝶 butterfly	húdié
3	甲虫 beetle	jiǎchóng
4	蜘蛛 spider	zhīzhū
5	蚂蚁 ant	mǎyǐ
6	蜥蜴 lizard	xīyì
7	岩石 rock	yánshí
8	千足虫 millipede	qiānzúchóng
9	瓢虫 ladybug	piáochóng
10	蜻蜓 dragonfly	qīngtíng
11	青蛙 frog	qīngwā
12	池塘 pond	chítáng
13	树 tree	shù
14	虫 worm	chóng
15	蜜蜂 bee	mìfēng
16	毛毛虫 caterpillar	máomáochóng
17	网 net	wǎng
18	罐子 jar	guànzi
19	蝌蚪 tadpoles	kēdǒu

连一连
Link running

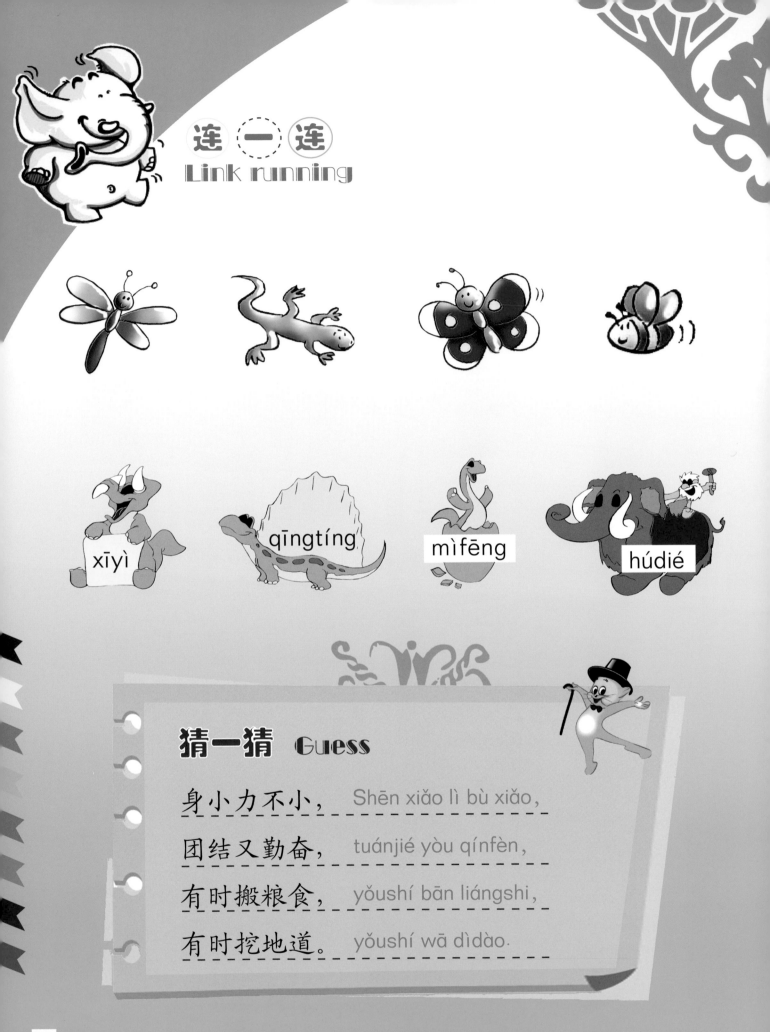

xīyì

qīngtíng

mìfēng

húdié

猜一猜 Guess

身小力不小，　　Shēn xiǎo lì bù xiǎo,

团结又勤奋，　　tuánjié yòu qínfèn,

有时搬粮食，　　yǒushí bān liángshi,

有时挖地道。　　yǒushí wā dìdào.

夏天的花园最好玩了。你可以捉蝴蝶，
Xiàtiān de huāyuán zuì hǎowán le. Nǐ kěyǐ zhuō húdié,

抓蜻蜓。你也可以看蜗牛怎么慢慢地在树干
zhuā qīngtíng. Nǐ yě kěyǐ kàn wōniú zěnme mànmàn de zài shùgàn

上、石头上爬，或小蚂蚁怎样背东西。还可
shang、shítou shang pá, huò xiǎo mǎyǐ zěnyàng bēi dōngxi. Hái kě-

以捞几个小蝌蚪，放在玻璃瓶里养起来，看
yǐ lāo jǐ gè xiǎo kēdǒu, fàng zài bōli píng li yǎng qǐlái, kàn

它会不会变成青蛙。
tā huì bú huì biànchéng qīngwā.

量词 Measure word

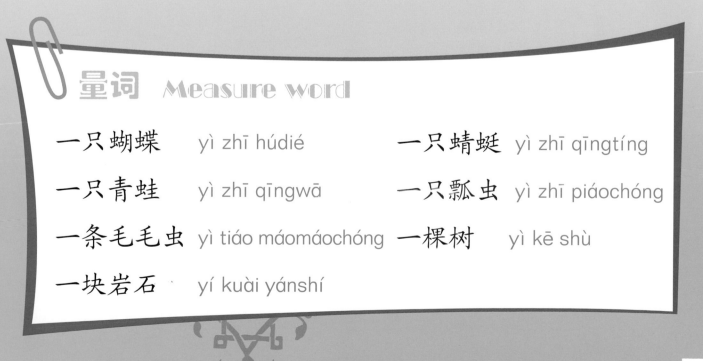

一只蝴蝶	yì zhī húdié	一只蜻蜓	yì zhī qīngtíng
一只青蛙	yì zhī qīngwā	一只瓢虫	yì zhī piáochóng
一条毛毛虫	yì tiáo máomáochóng	一棵树	yì kē shù
一块岩石	yí kuài yánshí		

海底世界 Hǎidǐ shìjiè
Under the sea

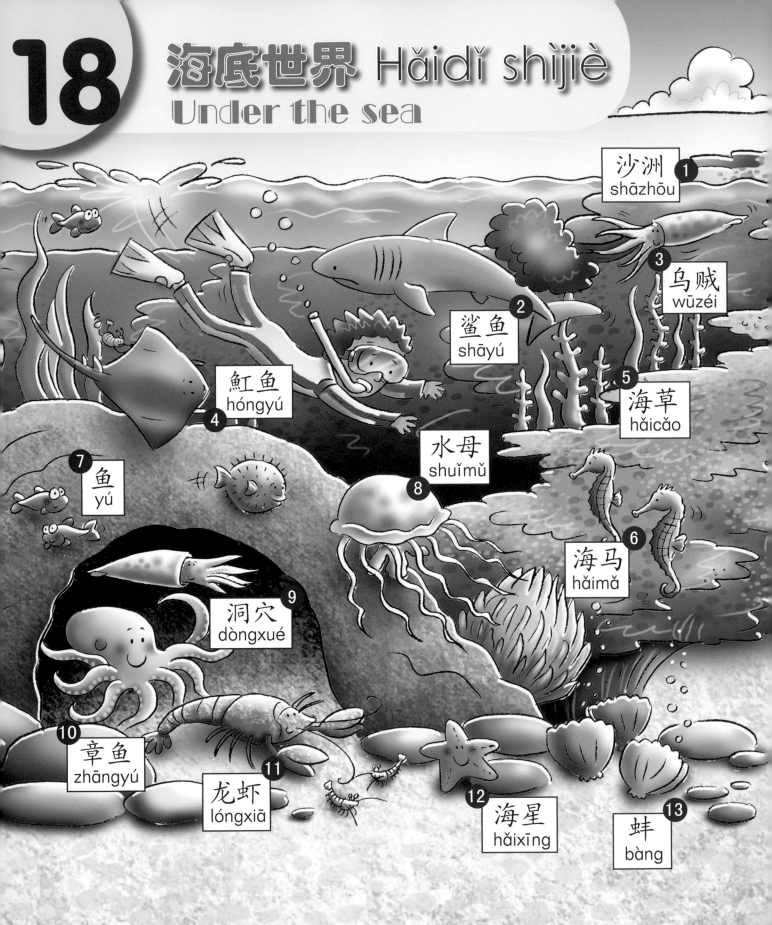

沙洲 ❶
shāzhōu

❸ 乌贼
wūzéi

鲨鱼 ❷
shāyú

❺ 海草
hǎicǎo

魟鱼
hóngyú
❹

水母
shuǐmǔ
❽

❼ 鱼
yú

海马
hǎimǎ
❻

洞穴 ❾
dòngxué

章鱼
zhāngyú
❿

龙虾 ⓫
lóngxiā

海星
hǎixīng
⓬

蚌 ⓭
bàng

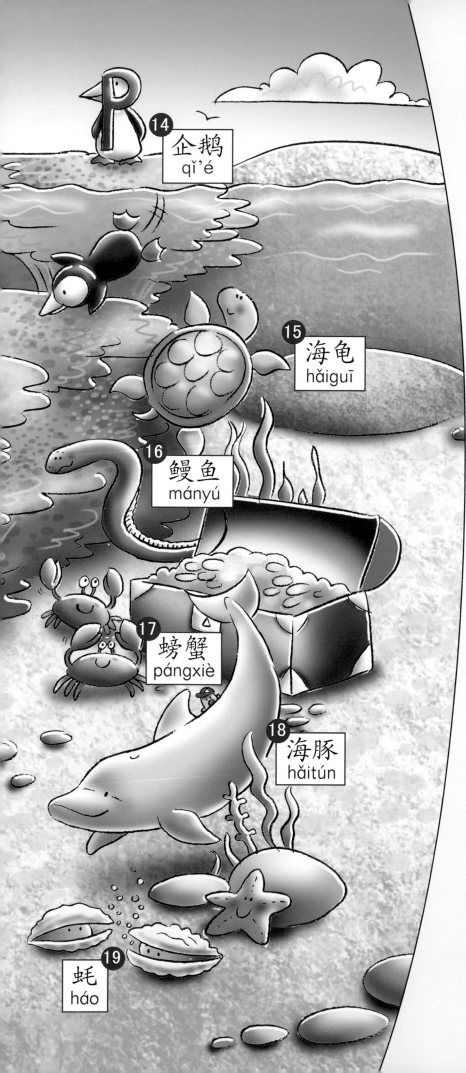

企鹅 qǐ'é

海龟 hǎiguī

鳗鱼 mányú

螃蟹 pángxiè

海豚 hǎitún

蚝 háo

1	沙洲 bar	shāzhōu
2	鲨鱼 shark	shāyú
3	乌贼 squid	wūzéi
4	魟鱼 stingray	hóngyú
5	海草 seaweed	hǎicǎo
6	海马 seahorse	hǎimǎ
7	鱼 fish	yú
8	水母 jellyfish	shuǐmǔ
9	洞穴 cave	dòngxué
10	章鱼 octopus	zhāngyú
11	龙虾 lobster	lóngxiā
12	海星 starfish	hǎixīng
13	蚌 clam	bàng
14	企鹅 penguin	qǐ'é
15	海龟 turtle	hǎiguī
16	鳗鱼 eel	mányú
17	螃蟹 crab	pángxiè
18	海豚 dolphin	hǎitún
19	蚝 oyster	háo

连一连
Link running

shāyú

lóngxiā

hǎiguī

猜一猜 Guess

老家原本在海洋，Lǎojiā yuánběn zài hǎiyáng,

海洋馆里被欣赏，hǎiyángguǎn li bèi xīnshǎng,

顶球戏水真聪明，dǐngqiú xìshuǐ zhēn cōngmíng,

遇险救人很善良。yùxiǎn jiùrén hěn shànliáng.

海底是另一个世界。在那里生活着许多我
Hǎidǐ shì lìng yí gè shìjiè. Zài nàlǐ shēnghuó zhe xǔduō wǒ-

们在陆地上看不到的生物，如章鱼、海马、
men zài lùdì shang kàn bú dào de shēngwù, rú zhāngyú, hǎimǎ,

鳗鱼、海星、海龟。当然还有鲨鱼、海豚
mányú, hǎixīng, hǎiguī. Dāngrán háiyǒu shāyú, hǎitún

等。海底的海草和陆地的也不一样。总之，
děng. Hǎidǐ de hǎicǎo hé lùdì de yě bù yíyàng. Zǒngzhī,

潜入海底看到的会是另一番奇妙的景象。
qiánrù hǎidǐ kàndào de huì shì lìng yì fān qímiào de jǐngxiàng.

量词 Measure word

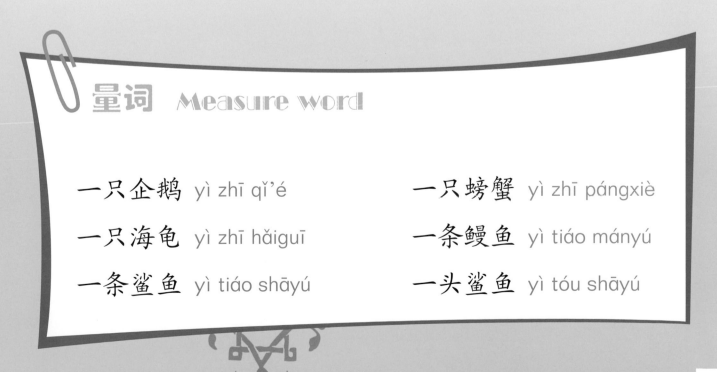

一只企鹅 yì zhī qǐ'é　　一只螃蟹 yì zhī pángxiè

一只海龟 yì zhī hǎiguī　　一条鳗鱼 yì tiáo mányú

一条鲨鱼 yì tiáo shāyú　　一头鲨鱼 yì tóu shāyú

19

爱丽的学校
Àilì de xuéxiào
At Ally's school

1 数字
shùzì

2 数
shǔ

3 白板
báibǎn

4 学生
xuésheng

5 画图
huàtú

垃圾桶
lājītǒng 9

6 色子
shǎizi

7 圆形
yuánxíng

8 正方形
zhèngfāngxíng

10 老师
lǎoshī

1	数字	shùzì
	number	
2	数	shǔ
	count	
3	白板	báibǎn
	whiteboard	
4	学生	xuésheng
	student / pupil	
5	画图	huàtú
	draw	
6	色子	shǎizi
	dice	
7	圆形	yuánxíng
	circle	
8	正方形	zhèngfāngxíng
	square	
9	垃圾桶	lājītǒng
	bin	
10	老师	lǎoshī
	teacher	
11	阅读	yuèdú
	read	
12	书写	shūxiě
	write	
13	书	shū
	book	
14	蜡笔	làbǐ
	crayon	
15	铅笔	qiānbǐ
	pencil	
16	颜料	yánliào
	paint	

làbǐ

lājītǒng

shǎizi

shū

猜一猜 Guess

身体瘦又长， Shēntǐ shòu yòu cháng,

藏着黑心肠。 cángzhe hēi xīncháng.

嘴尖会说话， Zuǐjiān huì shuōhuà,

见短不见长。 jiàn duǎn bú jiàn cháng.

读一读 Read

我们在学校学习数数字，学习写字，学习
Wǒmen zài xuéxiào xuéxí shǔ shùzì, xuéxí xiězì, xuéxí

阅读，也学习画画、唱歌、有时玩游戏，我
yuèdú, yě xuéxí huàhuà、 chànggē、 yǒushí wán yóuxì, wǒ

最喜欢画画了，有时用蜡笔，有时用水彩，
zuì xǐhuan huàhuà le, yǒushí yòng làbǐ, yǒushí yòng shuǐcǎi,

它们画出来的效果不一样！
tāmen huà chūlái de xiàoguǒ bù yíyàng!

量词 Measure word

一支铅笔 yì zhī qiānbǐ 　　一块橡皮 yí kuài xiàngpí

一个本子 yí gè běnzi 　　一本书 yì běn shū

一盒蜡笔 yì hé làbǐ

20

医生及牙医诊所
Yīshēng jí yáyī zhěnsuǒ
At the doctor's and the dentist's

1 图表 túbiǎo
护士 hùshi 2
温度计 wēndùjì 3
心脏 xīnzàng 4
5 医生 yīshēng
6 发烧 fāshāo
药丸 yàowán 7
药 yào 8
9 听筒 tīngtǒng
10 病人 bìngrén
11 感冒 gǎnmào
胃痛 wèitòng 12

1	图表 chart	túbiǎo	5	医生 doctor	yīshēng
2	护士 nurse	hùshi	6	发烧 fever	fāshāo
3	温度计 thermometer	wēndùjì	7	药丸 pill	yàowán	9	听筒 stethoscope	tīngtǒng
4	心脏 heart	xīnzàng	8	药 medicine	yào	10	病人 patient	bìngrén

X光照片
X guāng zhàopiàn

口罩
kǒuzhào

牙医
yáyī

牙痛
yátòng

咳嗽
késou

胶布
jiāobù

大拇指
dàmǔzhǐ

绷带
bēngdài

轮椅
lúnyǐ

11	感冒 cold	gǎnmào
12	胃痛 stomachache	wèitòng
13	X光照片 x-ray	X guāng zhàopiàn
14	口罩 mask	kǒuzhào
15	牙医 dentist	yáyī
16	牙痛 toothache	yátòng
17	咳嗽 cough	késou
18	胶布 band-aid	jiāobù
19	大拇指 thumb	dàmǔzhǐ
20	绷带 bandage	bēngdài
21	轮椅 wheelchair	lúnyǐ

连一连
Link running

yào

bēngdài

túbiǎo

dàmǔzhǐ

猜一猜 Guess

直直一条小红河， Zhízhí yì tiáo xiǎo hónghé,

河水从来无浪波， héshuǐ cónglái wú làngbō,

天热水位就上涨， tiānrè shuǐwèi jiù shàngzhǎng,

天冷水位就下落。 tiānlěng shuǐwèi jiù xiàluò.

冬天天气冷，人最容易感冒、咳嗽。所以
Dōngtiān tiānqì lěng, rén zuì róngyì gǎnmào, késou. Suǒyǐ

冬天的时候，妈妈会照顾全家人穿得暖暖
dōngtiān de shíhòu, māma huì zhàogù quánjiā rén chuān de nuǎnnuǎn

的。并且让我们多喝水，免得感冒了去医院
de. Bìngqiě ràng wǒmen duō hēshuǐ, miǎnde gǎnmào le qù yīyuàn

看病，吃药，打针。
kàn bìng, chī yào, dǎ zhēn.

量词 Measure word

吃两次药 chī liǎng cì yào

两粒药丸 liǎng lì yàowán

一张图表 yì zhāng túbiǎo

一片药 yí piàn yào

打一针 dǎ yì zhēn

21

美发厅 Měifàtīng
At the hairdresser's

剪刀
jiǎndāo
1

摩丝
mósī
2

马尾
mǎwěi
3

吹风机
chuīfēngjī
4

立式烘干机
lìshì hōnggānjī
5

美发师
měifàshī
6

染发
rǎnfà
7

杂志
zázhì
8

发卷
fàjuǎn
9

椅子
yǐzi
10

洗发精 xǐfàjīng

头发 tóufa

发刷 fàshuā

梳子 shūzi

发胶 fàjiāo

1	剪刀 scissors	jiǎndāo
2	摩丝 mousse	mósī
3	马尾 ponytail	mǎwěi
4	吹风机 hairdryer	chuīfēngjī
5	立式烘干机 hood	lìshì hōnggānjī
6	美发师 hairdresser	měifàshī
7	染发 hair dying	rǎnfà
8	杂志 magazine	zázhì
9	发卷 roller	fàjuǎn
10	椅子 chair	yǐzi
11	洗发精 shampoo	xǐfàjīng
12	头发 hair	tóufa
13	发刷 brush	fàshuā
14	梳子 comb	shūzi
15	发胶 hairspray	fàjiāo

连一连
Link running

chuīfēngjī

xǐfàjīng

shūzi

fàshuā

猜一猜 Guess

青苗生来比人高，Qīngmiáo shēnglái bǐ rén gāo,

不用施肥不用浇，bú yòng shīféi bú yòng jiāo,

一年四季都生长，yì nián sì jì dōu shēngzhǎng,

长了还得把它削。chángle hái děi bǎ tā xiāo.

小时候我最不喜欢洗头和理发，因为洗头的
Xiǎoshíhou wǒ zuì bù xǐhuan xǐtóu hé lǐfà, yīnwèi xǐtóu de

时候，洗发水会弄得我眼睛难受。理发的时候得
shíhou, xǐfàshuǐ huì nòngde wǒ yǎnjing nánshòu. Lǐfà de shíhou děi

一直稳稳地坐着，动也不能动。可现在我最喜欢
yìzhí wěnwěn de zuòzhe, dòng yě bù néng dòng. Kě xiànzài wǒ zuì xǐhuan

洗头和理发了。我每天都要洗头发，还经常去
xǐtóu hé lǐfà le. Wǒ měitiān dōu yào xǐ tóufa, hái jīngcháng qù

美发厅美发，各种式样的发型我都想留一留。
měifàtīng měifà, gèzhǒng shìyàng de fàxíng wǒ dōu xiǎng liú yì liú.

量词 Measure word

一把剪刀　　yì bǎ jiǎndāo　　　一把梳子 yì bǎ shūzi

一瓶洗发精 yì píng xǐfàjīng　　一条毛巾 yì tiáo máojīn

一本杂志　　yì běn zázhì

22

加油站 Jiāyóuzhàn
At the gas station

1 洗车 xǐchē

2 摩托车 mótuōchē

3 卡车 kǎchē

4 后备箱 hòubèixiāng

5 千斤顶 qiānjīndǐng

6 加油站服务人员 jiāyóuzhàn fúwù rényuán

7 轮胎 lúntāi

8 油枪 yóuqiāng

9 小货车 xiǎohuòchē

10 拖吊车 tuōdiàochē

1	洗车 car wash	xǐchē
2	摩托车 motorbike	mótuōchē
3	卡车 truck	kǎchē
4	后备箱 trunk	hòubèixiāng
5	千斤顶 jack	qiānjīndǐng
6	加油站服务人员 attendant	jiāyóuzhàn fúwù rényuán
7	轮胎 tyre	lúntāi
8	油枪 gas pump	yóuqiāng
9	小货车 van	xiǎohuòchē
10	拖吊车 tow truck	tuōdiàochē
11	充气机 air pump	chōngqìjī
12	汽车 car	qìchē
13	车轮 wheel	chēlún
14	扳手 wrench	bānshou
15	机械工 mechanic	jīxiègōng
16	挡风玻璃 windshield	dǎngfēng bōlí
17	引擎盖 hood	yǐnqínggài
18	跑车 sports car	pǎochē

连一连
Link running

mótuōchē

lúntāi

yóuqiāng

猜一猜 Guess

一件工具个头小，　Yí jiàn gōngjù gètóu xiǎo,

平时无人用。　　　píngshí wúrén yòng.

千斤重担抬动时，　Qiānjīn zhòngdàn táidòng shí,

才知力无穷。　　　cái zhī lì wúqióng.

读一读 Read

　　小货车和大卡车是用来运输货物的。汽车
Xiǎo huòchē hé dà kǎchē shì yònglái yùnshū huòwù de. Qìchē

和公共汽车是用来运送人的。如果汽车出毛病
hé gōnggòng qìchē shì yònglái yùnsòng rén de. Rúguǒ qìchē chū máobìng

了不能跑了，要修理，就需要拖车把它拖到维-
le bùnéng pǎo le, yào xiūlǐ, jiù xūyào tuōchē bǎ tā tuō dào wéi-

修站。在那里师傅会帮助你找出汽车有什么问
xiūzhàn. Zài nàlǐ shīfu huì bāngzhù nǐ zhǎochū qìchē yǒu shénme wèn

题，把它修好。
tí, bǎ tā xiūhǎo.

量词 Measure word

一辆汽车 yí liàng qìchē　　　　一台摩托车 yì tái mótuōchē

一个轮胎 yí gè lúntāi　　　　　一个扳手　yí gè bānshou

一升汽油 yì shēng qìyóu

23

消防员和警察
Xiāofángyuán hé jǐngchá
Fire-fighters and police officers

1 烟 yān

2 消防队 xiāofángduì

3 火 huǒ

4 梯子 tīzi

5 消防车 xiāofángchē

6 斧头 fǔtó

7 水管 shuǐguǎn

9 消防员 xiāofángyuán

10 消防栓 xiāofángshuān

8 泡沫 pàomò

警察局 jǐngchájú

警车 jǐngchē

警察 jǐngchá

警棍 jǐnggùn

手铐 shǒukào

抢匪 qiǎngfěi

对讲机 duìjiǎngjī

DANGER

1	烟	yān
	smoke	
2	消防队	xiāofángduì
	the fire brigade	
3	火	huǒ
	fire	
4	梯子	tīzi
	ladder	
5	消防车	xiāofángchē
	fire engine	
6	斧头	fǔtóu
	axe	
7	水管	shuǐguǎn
	hose	
8	泡沫	pàomò
	foam	
9	消防员	xiāofángyuán
	firefighter	
10	消防栓	xiāofángshuān
	fire hydrant	
11	警察局	jǐngchájú
	police station	
12	警车	jǐngchē
	police car	
13	手铐	shǒukào
	handcuffs	
14	抢匪	qiǎngfěi
	robber	
15	警察	jǐngchá
	police officer	
16	警棍	jǐnggùn
	nightstick	
17	对讲机	duìjiǎngjī
	walkie-talkie	

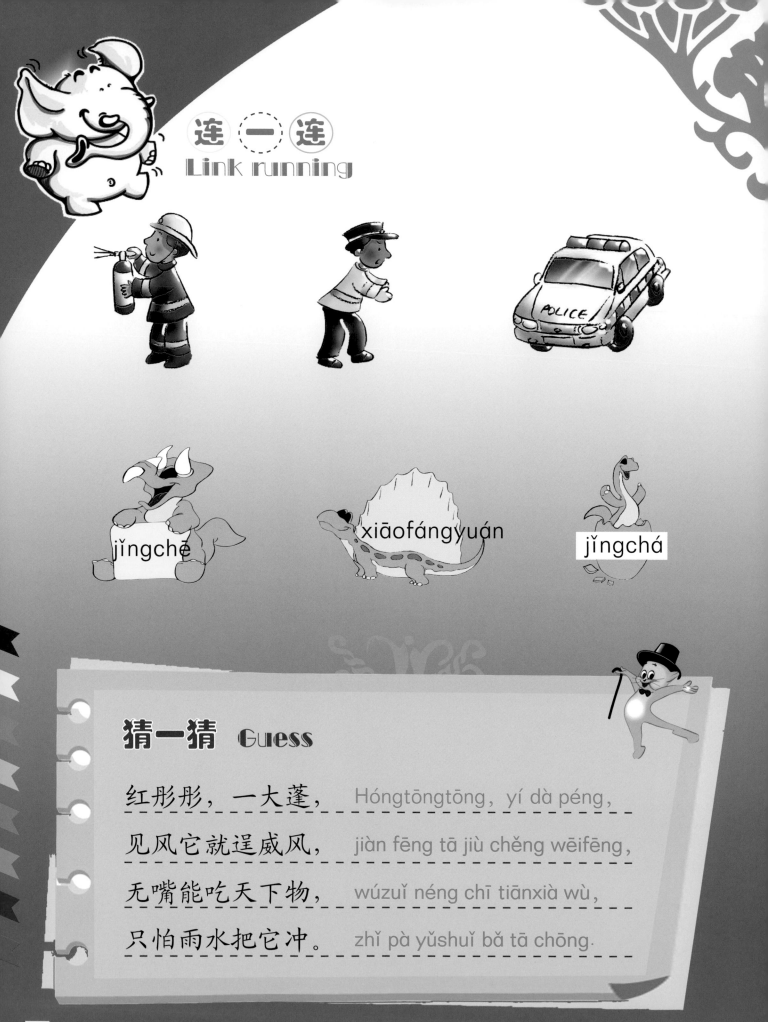

连一连
Link running

jǐngchē

xiāofángyuán

jǐngchá

猜一猜 Guess

红彤彤，一大蓬，　Hóngtōngtōng, yí dà péng,

见风它就逞威风，　jiàn fēng tā jiù chěng wēifēng,

无嘴能吃天下物，　wúzuǐ néng chī tiānxià wù,

只怕雨水把它冲。　zhǐ pà yǔshuǐ bǎ tā chōng.

如果哪里着火了，就要马上给消防队打电
Rúguǒ nǎlǐ zháohuǒ le, jiùyào mǎshàng gěi xiāofángduì dǎ diàn-

话，请消防员来帮助灭火和救人。如果哪里有
huà, qǐng xiāofángyuán lái bāngzhù mièhuǒ hé jiùrén. Rúguǒ nǎlǐ yǒu

危险，就要马上给警察局打电话，请求帮助。
wēixiǎn, jiùyào mǎshàng gěi jǐngchájú dǎ diànhuà, qǐngqiú bāngzhù.

警察是负责大家的安全的，专门抓坏人。警察
Jǐngchá shì fùzé dàjiā de ānquán de, zhuānmén zhuā huàirén. Jǐngchá

里有一种叫交通警察，也叫交警，他们主要负
li yǒu yì zhǒng jiào jiāotōng jǐngchá, yě jiào jiāojǐng, tāmen zhǔyào fù-

责维护道路交通秩序，使公共交通安全畅通。
zé wéihù dàolù jiāotōng zhìxù, shǐ gōnggòng jiāotōng ānquán chàngtōng.

量词 Measure word

一把斧头 yì bǎ fǔtóu   一个梯子 yí gè tīzi

一根水管 yì gēn shuǐguǎn   一根警棍 yì gēn jǐnggùn

一副手铐 yí fù shǒukào

探险游乐场
Tànxiǎn yóulèchǎng
In the adventure playground

1 树屋
shùwū

3 平衡木
pínghéngmù

2 绳索桥
shéngsuǒqiáo

7 蹦床
bèngchuáng

4 支柱
zhīzhù

5 隧道
suìdào

6 滑梯
huátī

8 双杠
shuānggàng

9 攀爬网
pānpáwǎng

10 滑板车
huábǎnchē

12 三轮车
sānlúnchē

13 跑道
pǎodào

11 脚踏车
jiǎotàchē

吊环
diàohuán

曲折平衡木
qūzhé pínghéngmù

秋千
qiūqiān

翘翘板
qiàoqiàobǎn

摇摇熊
yáoyáoxióng

轮滑
lúnhuá

	1	树屋	shùwū
		tree house	

1 树屋 shùwū
tree house

2 绳索桥 shéngsuǒqiáo
rope bridge

3 平衡木 pínghéngmù
balance beam

4 支柱 zhīzhù
pole

5 隧道 suìdào
tunnel

6 滑梯 huátī
slide

7 蹦床 bèngchuáng
trampoline

8 双杠 shuānggàng
monkey bar

9 攀爬网 pānpáwǎng
net climber

10 滑板车 huábǎnchē
scooter

11 脚踏车 jiǎotàchē
bicycle

12 三轮车 sānlúnchē
tricycle

13 跑道 pǎodào
track

14 吊环 diàohuán
rings

15 曲折平衡木 qūzhé pínghéngmù
wonky beam

16 秋千 qiūqiān
swing

17 翘翘板 qiàoqiàobǎn
seesaw

18 摇摇熊 yáoyáoxióng
bouncy bear

19 轮滑 lúnhuá
rollerblade

连一连
Link running

lúnhuá

huábǎnchē

qiàoqiàobǎn

猜一猜 Guess

高高大铁架，　Gāogāo dà tiějià,

能上不能下，　néng shàng bù néng xià,

上时站着登，　shàngshí zhànzhe dēng,

下时坐着滑，　xiàshí zuòzhe huá,

宝宝排队玩，　bǎobǎo páiduì wán,

谁都不害怕。　shuí dōu bú hàipà.

小妹妹在蹦床上蹦得像兔子，蹦得可高了！
Xiǎo mèimei zài bèngchuáng shang bèng de xiàng tùzi, bèng de kě gāo le!

小弟弟在滑梯上滑得像小熊，溜滑下来，转身爬
Xiǎo dìdi zài huátī shang huá de xiàng xiǎoxióng, liūhuá xiàlái, zhuǎnshēn pá

上去，又溜滑下来！大哥哥在吊环上玩得可带
shàng qù, yòu liūhuá xiàlái! Dà gēge zài diàohuán shang wán de kě dài-

劲了，简直像猴子！我最喜欢溜冰，我溜得可快
jìn le, jiǎnzhí xiàng hóuzi! Wǒ zuì xǐhuan liūbīng, wǒ liū de kě kuài

了，像小燕子飞一样，感觉特别爽！
le, xiàng xiǎoyànzi fēi yíyàng, gǎnjué tèbié shuǎng!

量词 Measure word

一辆脚踏车 yí liàng jiǎotàchē 　一辆三轮车 yí liàng sānlúnchē

一个滑板 yí gè huábǎn 　一双轮滑鞋 yì shuāng lúnhuáxié

一条跑道 yì tiáo pǎodào 　一座树屋 yí zuò shùwū

起 START 点

终 FINISH 点

1 欢呼 huānhū

2 单脚跳 dānjiǎo tiào

3 跳绳 tiàoshéng

4 接 jiē

哨子 shàozi
5

START

6 丢 diū

7 麻袋 mádài

8 跳 tiào

1	欢呼 cheering	huānhū
2	单脚跳 hopping	dānjiǎo tiào
3	跳绳 jump rope	tiàoshéng
4	接 catch	jiē
5	哨子 whistle	shàozi
6	丢 throw	diū
7	麻袋 sack	mádài
8	跳 jumping	tiào
9	最后 last	zuìhòu
10	跑步 running	pǎobù
11	第三 third	dì-sān
12	第二 second	dì-èr
13	第一 first	dì-yī
14	绿色 green	lǜsè
15	蓝色 blue	lánsè
16	黄色 yellow	huángsè
17	橘色 orange	júsè
18	红色 red	hóngsè
19	奖品 prize	jiǎngpǐn
20	优胜者 winner	yōushèngzhě

连 一 连
Link running

pǎobù

tiàoshéng

lùsè

猜一猜 Guess

运动会里都参加。 Yùndònghuì li dōu cānjiā.

读一读 Read

我们学校每年都要开运动会。每次我都会
Wǒmen xuéxiào měinián dōu yào kāi yùndònghuì. Měicì wǒ dōu huì

报名参加。我最喜欢60米短跑，我能跑得特别
bàomíng cānjiā. Wǒ zuì xǐhuan liùshí mǐ duǎnpǎo, wǒ néng pǎo de tèbié

快，经常得第一。如果我比赛的时候，你在看
kuài, jīngcháng dé dì-yī. Rúguǒ wǒ bǐsài de shíhou, nǐ zài kàn-

台上观看，你一定会看到我像飞人一样！
táishang guānkàn, nǐ yídìng huì kàndào wǒ xiàng fēirén yíyàng!

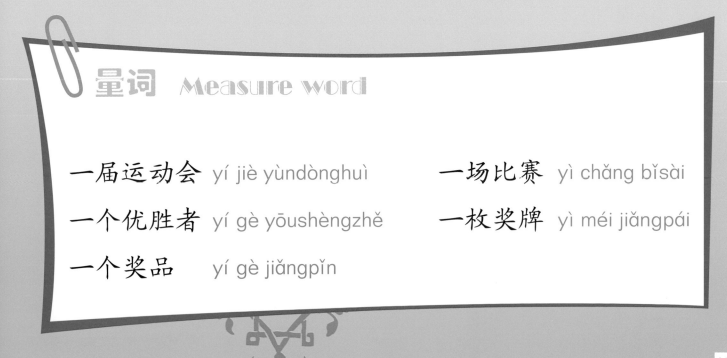

量词 Measure word

一届运动会 yí jiè yùndònghuì   一场比赛 yì chǎng bǐsài

一个优胜者 yí gè yōushèngzhě   一枚奖牌 yì méi jiǎngpái

一个奖品 yí gè jiǎngpǐn

27

农场 Nóngchǎng
On the farm

拖拉机 tuōlājī 1

农夫 nóngfū 2

草场 cǎochǎng 4

公牛 gōngniú 3

小羊 xiǎo yáng 5

绵羊 miányáng 6

马 mǎ 7

小鸭 xiǎo yā 8

猪 zhū 9

小猪 xiǎo zhū 10

鸭 yā 11

牛棚 niúpéng ⑫

母牛 mǔniú ⑬

母鸡 mǔjī ⑭

公鸡 gōngjī ⑮

小鸡 xiǎo jī ⑯

1	拖拉机	tuōlājī	tractor
2	农夫	nóngfū	farmer
3	公牛	gōngniú	bull
4	草场	cǎochǎng	field
5	小羊	xiǎo yáng	lamb
6	绵羊	miányáng	sheep
7	马	mǎ	horse
8	小鸭	xiǎo yā	duckling
9	猪	zhū	pig
10	小猪	xiǎo zhū	piglet
11	鸭	yā	duck
12	牛棚	niúpéng	cowshed
13	母牛	mǔniú	cow
14	母鸡	mǔjī	hen
15	公鸡	gōngjī	cock
16	小鸡	xiǎo jī	chick

连一连
Link running

zhū

gōngjī

xiǎoyáng

猜一猜 Guess

年纪不算大， Niánjì bú suàn dà,

胡子一大把， húzi yí dà bǎ,

不管见到谁， bùguǎn jiàndào shuí,

总是叫妈妈。 zǒngshì jiào māma.

读一读 Read

有时我们去参观农场，看农夫种地，认识
Yǒushí wǒmen qù cānguān nóngchǎng, kàn nóngfū zhòngdì, rènshi

各种庄稼，如什么是麦子、什么是水稻，也可以
gèzhǒng zhuāngjia, rú shénme shì màizi, shénme shì shuǐdào, yě kěyǐ

看看农民饲养的各种动物，如牛啊、羊啊、猪
kànkan nóngmín sìyǎng de gèzhǒng dòngwù, rú niú a, yáng a, zhū

啊……我们还可以拿点粮食喂小鸡。
a …… wǒmen hái kěyǐ ná diǎn liángshi wèi xiǎojī.

量词 Measure word

一头猪	yì tóu zhū	一头牛	yì tóu niú
一只羊	yì zhī yáng	一只鸭子	yì zhī yāzi
三只小鸡	sān zhī xiǎo jī	一匹马	yì pǐ mǎ
一条狗	yì tiáo gǒu		

28

童话故事 Tónghuà gùshi
Fairytales

三只小羊
sān zhī xiǎoyáng
1

姜饼人
jiāngbǐngrén
2

野狼
yěláng
3

樵夫
qiáofū
4

午夜
wǔyè
5

小红母鸡
xiǎo hóng mǔjī
6

木头
mùtou
7

FAIRY TALE TRAIN

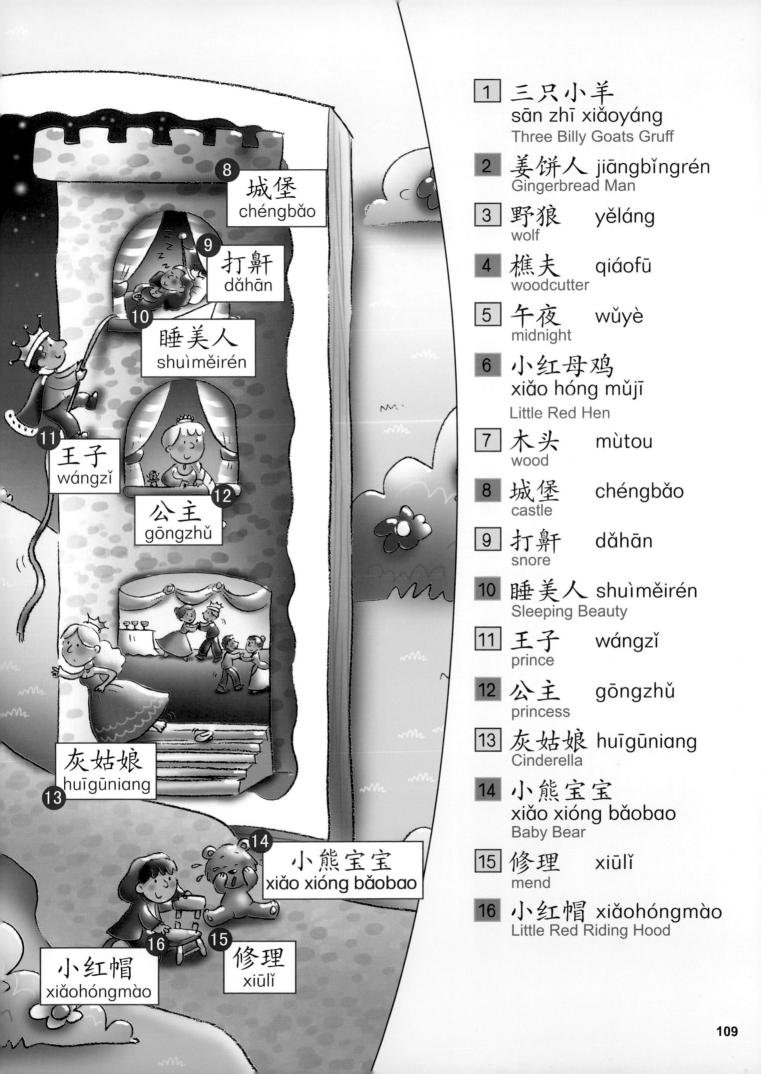

城堡
chéngbǎo

打鼾
dǎhān

睡美人
shuìměirén

王子
wángzǐ

公主
gōngzhǔ

灰姑娘
huīgūniang

小熊宝宝
xiǎo xióng bǎobao

小红帽
xiǎohóngmào

修理
xiūlǐ

1 三只小羊
sān zhī xiǎoyáng
Three Billy Goats Gruff

2 姜饼人 jiāngbǐngrén
Gingerbread Man

3 野狼 yěláng
wolf

4 樵夫 qiáofū
woodcutter

5 午夜 wǔyè
midnight

6 小红母鸡
xiǎo hóng mǔjī
Little Red Hen

7 木头 mùtou
wood

8 城堡 chéngbǎo
castle

9 打鼾 dǎhān
snore

10 睡美人 shuìměirén
Sleeping Beauty

11 王子 wángzǐ
prince

12 公主 gōngzhǔ
princess

13 灰姑娘 huīgūniang
Cinderella

14 小熊宝宝
xiǎo xióng bǎobao
Baby Bear

15 修理 xiūlǐ
mend

16 小红帽 xiǎohóngmào
Little Red Riding Hood

连一连
Link running

huīgūniang

mùtou

wángzǐ

猜一猜 Guess

不是狐狸不是狗，　Búshì húli búshì gǒu,

平生最爱吃鸡肉，　píngshēng zuì ài chī jīròu,

前面架着快铡刀，　qiánmiàn jiàzhe kuài zhádāo,

后面拖着大扫帚。　hòumiàn tuōzhe dà sàozhou.

每天睡觉前， 妈妈都会给我讲一篇好听的
Měitiān shuìjiào qián， māma dōu huì gěi wǒ jiǎng yì piān hǎotīng de

童话。我听着听着就慢慢入睡了。不过有时
tónghuà. Wǒ tīngzhe tīngzhe jiù mànmàn rùshuì le. Bú guò yǒushí

故事的内容太激动人心了， 我会半天也睡不
gùshi de nèiróng tài jīdòng rénxīn le， wǒ huì bàntiān yě shuì bù

着。我最喜欢听的童话是《睡美人》和《灰姑娘》。
zháo. Wǒ zuì xǐhuan tīng de tónghuà shì 《Shuìměirén》hé 《Huīgūniang》.

《小红帽》我也喜欢听， 但晚上睡觉的时候听
《Xiǎohóngmào》wǒ yě xǐhuan tīng， dàn wǎnshang shuìjiào de shíhou tīng

我会感到害怕。
wǒ huì gǎndào hàipà.

量词 Measure word

一座城堡 yí zuò chéngbǎo

一个王子 yí gè wángzǐ

一个公主 yí gè gōngzhǔ

一个夜晚 yí gè yèwǎn

一位王子 yí wèi wángzǐ

一位公主 yí wèi gōngzhǔ

一根木头 yì gēn mùtou

29

怪兽乐团
Guàishòu yuètuán
The Monster Band

Monster Band from Magic Land

1 小天使 xiǎotiānshǐ

2 铃鼓 línggǔ

3 三角铁 sānjiǎotiě

4 唱歌 chànggē

5 萨克斯风 sàkèsīfēng

6 木琴 mùqín

7 吉他 jítā

8 音乐 yīnyuè

9 喇叭 lǎba

10 键盘 jiànpán

11 恐龙阿帝 kǒnglóng Ādì

12 巨人阿甘 jùrén Āgān

13 精灵王 Jīnglíngwáng

14 侏儒阿杰 zhūrú Ajié

15 小飞龙阿星 xiǎofēilóng Āxīng

鼓槌
gǔchuí

鼓
gǔ

尖叫
jiānjiào

跳舞
tiàowǔ

1	小天使	xiǎotiānshǐ
	fairy	
2	铃鼓	línggǔ
	tambourine	
3	三角铁	sānjiǎotiě
	triangle	
4	唱歌	chànggē
	sing	
5	萨克斯风	sàkèsīfēng
	saxophone	
6	木琴	mùqín
	xylophone	
7	吉他	jítā
	guitar	
8	音乐	yīnyuè
	music	
9	喇叭	lǎba
	trumpet	
10	键盘	jiànpán
	keyboard	
11	恐龙阿帝	kǒnglóng Ādì
	Dinosaur Dee	
12	巨人阿甘	jùrén Āgān
	Giant Gum	
13	精灵王	Jīnglíngwáng
	Goblin King	
14	侏儒阿杰	zhūrú Ājié
	Troll Jet	
15	小飞龙阿星	xiǎofēilóng Āxīng
	Dragon Star	
16	鼓槌	gǔchuí
	drumstick	
17	鼓	gǔ
	drum	
18	尖叫	jiānjiào
	scream	
19	跳舞	tiàowǔ
	dance	

113

连一连
Link running

jítā

Jīnglíngwáng

lǎba

猜一猜 Guess

肚子圆圆里面空， Dùzi yuányuán lǐmiàn kōng,

皮做的脸面平如镜， pí zuò de liǎnmiàn píng rú jìng,

无人打它不说话， wúrén dǎ tā bù shuōhuà,

说话只会"痛痛痛"！ shuōhuà zhǐ huì "tòng tòng tòng"!

你去看过怪兽乐团的演出吗？听说在怪兽
Nǐ qù kànguò guàishòu yuètuán de yǎnchū ma? Tīngshuō zài Guàishòu

乐团里各种怪兽都能演奏各种乐器，比如恐
Yuètuán li gèzhǒng guàishòu dōu néng yǎnzòu gèzhǒng yuèqì, bǐrú kǒng-

龙阿帝会弹木琴，巨人阿甘会打鼓，侏儒阿杰
lóng Ādì huì tán mùqín, jùrén Āgān huì dǎgǔ, zhūrú Ājié

会吹喇叭，小飞龙阿星会弹吉他，小天使会
huì chuī lǎba, xiǎo fēilóng Āxīng huì tán jítā, xiǎotiānshǐ huì

敲三角铁。他们演奏的音乐很好听，我也想
qiāo sānjiǎotiě. Tāmen yǎnzòu de yīnyuè hěn hǎotīng, wǒ yě xiǎng

去听一听。
qù tīng yi tīng.

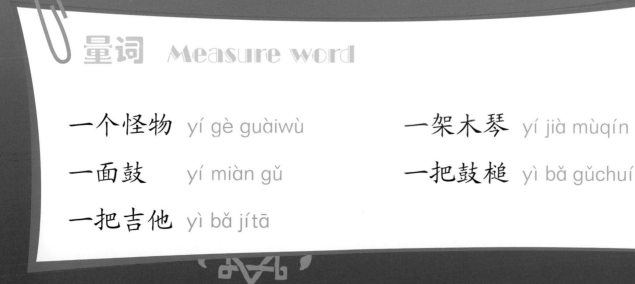

量词 Measure word

一个怪物 yí gè guàiwù   一架木琴 yí jià mùqín

一面鼓 yí miàn gǔ   一把鼓槌 yì bǎ gǔchuí

一把吉他 yì bǎ jítā

30

童谣 Tóngyáo
Nursery rhymes

1 旗子 qízi

2 两只小鸟 liǎng zhī xiǎoniǎo

3 黑鸟 hēiniǎo

4 国王 guówáng

5 王后 wánghòu

6 铃铛 língdāng

7 蛋头先生 dàntóu xiānsheng

8 苍蝇 cāngying

9 卖松糕的小贩 mài sōnggāo de xiǎofàn

CASTLE　HILL

山丘
shānqiū

井
jǐng

水桶
shuǐtǒng

杰克和吉儿
Jiékè hé Jíér

桑椹树
sāngshèn shù

小波比
xiǎo Bōbǐ

1	旗子	qízi
	flag	
2	两只小鸟	
	liǎng zhī xiǎoniǎo	
	Two Little Dicky Birds	
3	黑鸟	hēiniǎo
	blackbird	
4	国王	guówáng
	king	
5	王后	wánghòu
	queen	
6	铃铛	língdāng
	bell	
7	蛋头先生	
	dàntóu xiānsheng	
	Humpty Dumpty	
8	苍蝇	cāngying
	fly	
9	卖松糕的小贩	
	mài sōnggāo de xiǎofàn	
	The Muffin Man	
10	山丘	shānqiū
	hill	
11	井	jǐng
	well	
12	水桶	shuǐtǒng
	pail	
13	杰克和吉儿	
	Jiékè hé Jíér	
	Jack and Jill	
14	桑椹树 sāngshèn shù	
	The Mulberry Bush	
15	小波比 xiǎo Bōbǐ	
	Little Bo Peep	

连一连
Link running

qízi

huánghòu

hēiniǎo

猜一猜 Guess

远看像是一块布，　Yuǎn kàn xiàngshì yí kuài bù,

常常挂在高高处。　chángcháng guà zài gāogāo chù.

色彩形状不一样，　Sècǎi xíngzhuàng bù yíyàng,

千言万语在面上。　qiānyánwànyǔ zài miànshàng.

有风时呼呼啦啦，　Yǒu fēng shí hū hū lā lā,

没风时精神全无。　méi fēng shí jīngshen quán wú.

妈妈的童谣特别好听。妈妈的童谣有时
Māma de tóngyáo tèbié hǎotīng. Māma de tóngyáo yǒushí-

候是念出来的，有时候是唱出来的，妈妈的
hou shì niàn chūlái de, yǒushíhou shì chàng chūlái de, māma de

童谣有的是关于城堡的，有的是关于迷宫的，
tóngyáo yǒude shì guānyú chéngbǎo de, yǒude shì guānyú mígōng de,

妈妈的童谣特别吸引我，我最爱听妈妈的童谣。
māma de tóngyáo tèbié xīyǐn wǒ, wǒ zuì àitīng māma de tóngyáo.

量词 Measure word

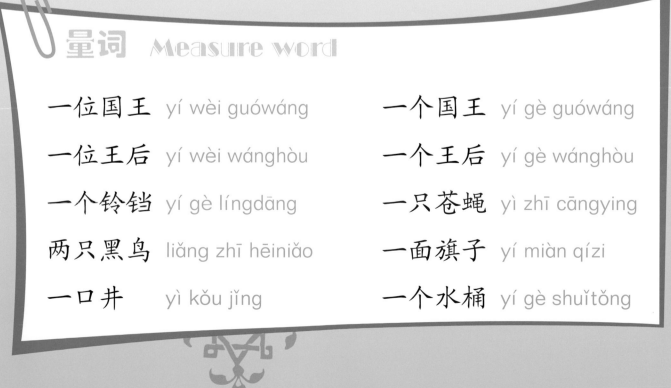

一位国王 yí wèi guówáng 一个国王 yí gè guówáng

一位王后 yí wèi wánghòu 一个王后 yí gè wánghòu

一个铃铛 yí gè língdāng 一只苍蝇 yì zhī cāngying

两只黑鸟 liǎng zhī hēiniǎo 一面旗子 yí miàn qízi

一口井 yì kǒu jǐng 一个水桶 yí gè shuǐtǒng

31

天气 Tiānqì
The weather

1 雨天 yǔtiān

2 雨 yǔ

3 闪电 shǎndiàn

4 雨伞 yǔsǎn

5 水坑 shuǐkēng

6 雨衣 yǔyī

7 靴子 xuēzi

8 排水道 páishuǐdào

9 雪天 xuětiān

10 围巾 wéijīn

11 手套 shǒutào

12 滑跤 huájiāo

13 雪人 xuěrén

14 雪橇 xuěqiāo

15 雪球 xuěqiú

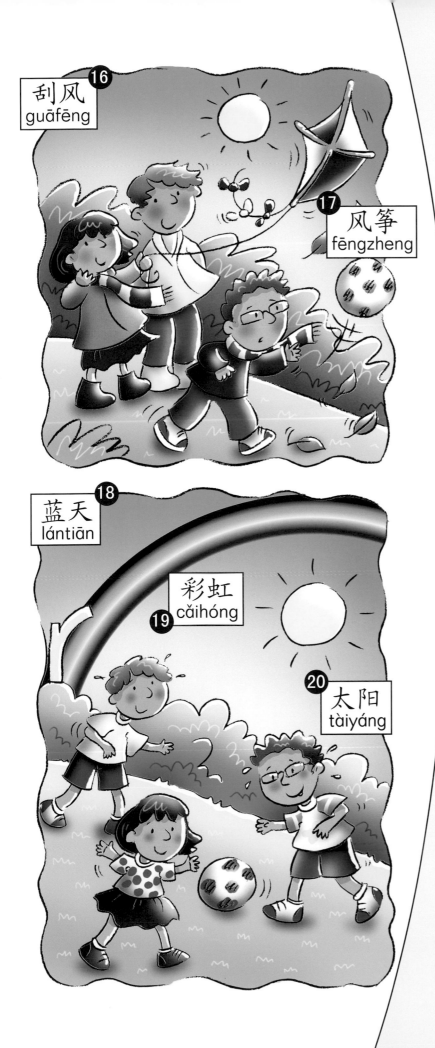

刮风
guāfēng

风筝
fēngzheng

蓝天
lántiān

彩虹
cǎihóng

太阳
tàiyáng

1	雨天	yǔtiān
	rainy day	
2	雨	yǔ
	rain	
3	闪电	shǎndiàn
	lightning	
4	雨伞	yǔsǎn
	umbrella	
5	水坑	shuǐkēng
	puddle	
6	雨衣	yǔyī
	raincoat	
7	靴子	xuēzi
	boot	
8	排水道	páishuǐdào
	drain	
9	雪天	xuětiān
	snowy weather	
10	围巾	wéijīn
	scarf	
11	手套	shǒutào
	glove	
12	滑跤	huájiāo
	slip	
13	雪人	xuěrén
	snowman	
14	雪橇	xuěqiāo
	sledge	
15	雪球	xuěqiú
	snowball	
16	刮风	guāfēng
	blow	
17	风筝	fēngzheng
	kite	
18	蓝天	lántiān
	the blue sky	
19	彩虹	cǎihóng
	rainbow	
20	太阳	tàiyáng
	sun	

xuěrén

shǎndiàn

tàiyáng

fēngzheng

猜一猜 Guess

树儿见它把头摇， Shùér jiàn tā bǎ tóu yáo,

苗儿见它就弯腰， miáoér jiàn tā jiù wānyāo,

水儿见它浪花起， shuǐér jiàn tā lànghuā qǐ,

云儿见它快快跑。 yúnér jiàn tā kuàikuài pǎo.

读一读 Read

下雨的时候，我们出门会不方便，而且有
Xiàyǔ de shíhou, wǒmen chūmén huì bù fāngbiàn, érqiě yǒu

时候会打雷和闪电，真让人害怕，但雨会让
shíhou huì dǎléi hé shǎndiàn, zhēn ràng rén hàipà, dàn yǔ huì ràng

大地上的植物喝足水。雨后的大地会变得干-
dàdì shang de zhíwù hē zú shuǐ. Yǔ hòu de dàdì huì biàn de gān-

净，清新。有时雨后还会有特别美丽的彩虹
jìng, qīngxīn. Yǒushí yǔ hòu hái huì yǒu tèbié měilì de cǎihóng

出现。当然，下雪的时候也很好玩，可以堆
chūxiàn. Dāngrán, xiàxuě de shíhou yě hěn hǎowán, kěyǐ duī

雪人，滚雪球，打雪仗，还有滑雪啊。
xuěrén, gǔn xuěqiú, dǎ xuězhàng, háiyǒu huáxuě ā.

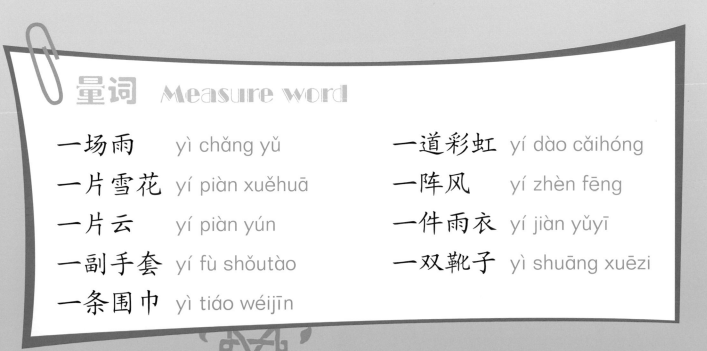

量词 Measure word

一场雨　　yì chǎng yǔ	一道彩虹　yí dào cǎihóng
一片雪花　yí piàn xuěhuā	一阵风　　yí zhèn fēng
一片云　　yí piàn yún	一件雨衣　yí jiàn yǔyī
一副手套　yí fù shǒutào	一双靴子　yì shuāng xuēzi
一条围巾　yì tiáo wéijīn	

32

聚会 Jùhuì
The party

这是阳光灿烂的一天，灰姑娘和王子
Zhè shì yángguāng cànlàn de yì tiān, Huīgūniang hé wángzǐ

正在城堡里举办一场聚会。睡美人在
zhèngzài chéngbǎo li jǔbàn yì chǎng jùhuì. Shuìměirén zài

荡秋千，杰克和吉儿在玩滑梯。
dàng qiūqiān, Jiékè hé Jíér zài wán huátī.

玩具熊在骑自行车。
Wánjù xióng zài qí zìxíngchē.

小红帽在溜轮滑。
Xiǎohóngmào zài liū lúnhuá.

姜饼人在赛跑中得了第一名，蛋
Jiāngbǐngrén zài sàipǎo zhōng déle dì-yī míng, dàn-

头先生在搬运麻袋比赛中得了第
tóu xiānsheng zài bānyùn mádài bǐsài zhōng déle dì-

一名，而大灰狼得了最后一名。
yī míng, ér dàhuīláng dé le zuìhòu yìmíng.

哦，糟了，下雨了！
Ò, zāole, xiàyǔ le!
他们都往城堡里跑。
Tāmen dōu wǎng chéngbǎo li pǎo.

在城堡里，怪物乐队正在演出。国
Zài chéngbǎo li, Guàiwù Yuèduì zhèngzài yǎnchū. Guó-

王在和小波比一起跳舞。几只小鸡
wáng zài hé xiǎo Bōbǐ yìqǐ tiàowǔ. Jǐ zhī xiǎojī

在一边唧唧叫。卖松糕的小贩在吃
zài yìbiān jījī jiào. Mài sōnggāo de xiǎofàn zài chī

奶昔。小红母鸡在吃蛋糕。而大灰
nǎixī. Xiǎo hóng mǔjī zài chī dàngāo. Ér dàhuī-

狼想要吃什么呢？你说说看。
láng xiǎngyào chī shénme ne? Nǐ shuōshuo kàn.

六点钟
liù diǎnzhōng

灿烂的阳光
cànlàn de yángguāng

闹钟
nàozhōng

七点钟
qī diǎnzhōng

早餐
zǎocān

正午
zhèngwǔ

影子
yǐngzi

午餐
wǔcān

四点钟
sìdiǎnzhōng

126

天空
tiānkōng

八点钟
bā diǎnzhōng

晚餐
wǎncān

灯
dēng

九点钟
jiǔdiǎnzhōng

月亮
yuèliang

闪烁的星星
shǎnshuò de xīngxing

十一点钟
shíyī diǎnzhōng

巢
cháo

猫头鹰
māotóuyīng

1	六点钟 liù diǎnzhōng six o'clock	
2	闹钟　　nàozhōng alarm clock	
3	七点钟 qī diǎnzhōng seven o'clock	
4	早餐　　zǎocān breakfast	
5	灿烂的阳光 cànlàn de yángguāng bright sun	
6	正午　　zhèngwǔ noon	
7	影子　　yǐngzi shadow	
8	午餐　　wǔcān lunch	
9	四点钟 sì diǎnzhōng four o'clock	
10	天空　　tiānkōng sky	
11	八点钟 bā diǎnzhōng eight o'clock	
12	晚餐　　wǎncān dinner	
13	灯　　　dēng light	
14	九点钟 jiǔ diǎnzhōng nine o'clock	
15	月亮　　yuèliang moon	
16	十一点钟 shíyī diǎnzhōng eleven o'clock	
17	闪烁的星星 shǎnshuò de xīngxing twinkling star	
18	猫头鹰 māotóuyīng owl	
19	巢　　　cháo nest	

连一连
Link running

dēng

māotóuyīng

nàozhōng

猜一猜 Guess

青石板，　　　　　　Qīng shíbǎn,

板石青，　　　　　　bǎn shí qīng,

青石板上钉银钉，　　qīng shíbǎn shang dìng yíndīng,

要问银钉有多少，　　yào wèn yíndīng yǒu duō shǎo,

天下没人数得清。　　tiānxià méirén shǔ de qīng.

早晨太阳从东方升起，新的一天开始了。我
Zǎochén tàiyáng cóng dōngfāng shēngqǐ, xīn de yì tiān kāishǐ le. Wǒ

在六点钟起床，洗脸刷牙。在六点半的时候吃
zài liù diǎnzhōng qǐchuáng, xǐliǎn shuāyá. Zài liù diǎn bàn de shíhou chī

早餐，七点的时候出门去上学，中午十二点吃午
zǎocān, qī diǎn de shíhou chūmén qù shàngxué, zhōngwǔ shíèr diǎn chī wǔ-

餐，下午两点又开始上课。下午四点的时候走出
cān, xiàwǔ liǎngdiǎn yòu kāishǐ shàngkè. Xiàwǔ sì diǎn de shíhou zǒuchū

教室做各种运动。晚上八点吃晚餐，然后看看书
jiàoshì zuò gèzhǒng yùndòng. Wǎnshang bā diǎn chī wǎncān, ránhòu kànkan shū

或电视，九点钟上床睡觉，进入梦乡。
huò diànshì, jiǔ diǎnzhōng shàngchuáng shuìjiào, jìnrù mèngxiang.

量词 Measure word

一个小时 yí gè xiǎoshí	一点钟 yì diǎnzhōng
一顿早餐 yí dùn zǎocān	一颗星星 yì kē xīngxing
一盏灯 yì zhǎn dēng	一只猫头鹰 yì zhī māotóuyīng

34
草木及种子
Căomù jí zhǒngzi
Plants and seeds

1 灌木 guànmù

2 枝条 zhītiáo

3 花蕾 huālěi

4 向日葵 xiàngrìkuí

5 昆虫 kūnchóng

6 茎 jīng

7 花 huā

8 花洒 huāsǎ

9 放大镜 fàngdàjìng

10 花瓣 huābàn

11 种子 zhǒngzi

12 树叶 shùyè

树皮
shùpí
13

14
草地
cǎodì

16
根
gēn

15
幼芽
yòuyá

17
花盆
huāpén

18
豆荚
dòujiá

	1	灌木	guànmù
		bush	
	2	枝条	zhītiáo
		stick	
	3	花蕾	huālěi
		bud	
	4	向日葵	xiàngrìkuí
		sunflower	
	5	昆虫	kūnchóng
		insect	
	6	茎	jīng
		stalk	
	7	花	huā
		flower	
	8	花洒	huāsǎ
		watering can	
	9	放大镜	fàngdàjìng
		magnifying glass	
	10	花瓣	huābàn
		petal	
	11	种子	zhǒngzi
		seed	
	12	树叶	shùyè
		leaf	
	13	树皮	shùpí
		bark	
	14	草地	cǎodì
		grass	
	15	幼芽	yòuyá
		shoot	
	16	根	gēn
		root	
	17	花盆	huāpén
		flower pot	
	18	豆荚	dòujiá
		bean	

连一连
Link running

huā

xiàngrìkuí

zhǒngzi

猜一猜 Guess

一身绿衣裳，　Yì shēn lǜ yīshang,

个子瘦又长，　gèzi shòu yòu cháng,

从早转到晚，　cóng zǎo zhuàn dào wǎn,

脸儿向太阳。　liǎnér xiàng tài yáng.

春天的时候，我在花园的地里挖了几个小
Chūntiān de shíhou, wǒ zài huāyuán de dìlǐ wāle jǐ ge xiǎo-

坑，把几粒向日葵的种子放在坑里，上面盖一些
kēng, bǎ jǐlì xiàngrìkuí de zhǒngzi fàngzài kēngli, shàngmiàn gài yìxiē

土，然后浇了一些清水。过了些日子，向日葵长
tǔ, ránhòu jiāole yìxiē qīngshuǐ. Guòle xiē rìzi, xiàngrìkuí zhǎng-

出了小芽，但看不出是什么植物。我又给它浇了
chūle xiǎoyá, dàn kàn bù chū shì shénme zhíwù. Wǒ yòu gěi tā jiāole

些水，小芽一天天长大长高。慢慢地，它显出向
xiē shuǐ, xiǎo yá yì tiāntiān zhǎngdà zhǎnggāo. Mànmàn de, tā xiǎnchū xiàng-

日葵的样子。夏天，它们开出了金色的花儿。这
rìkuí de yàngzi. Xiàtiān, tāmen kāichū le jīnsè de huār. Zhè-

些花儿每天总是朝着太阳的方向转动。
xiē huār měitiān zǒngshì cháozhe tàiyáng de fāngxiàng zhuàndòng.

量词 Measure word

一粒种子 yí lì zhǒngzi	一棵小苗 yì kē xiǎomiáo
一根小苗 yì gēn xiǎomiáo	一根枝条 yì gēn zhītiáo
一片树叶 yí piàn shùyè	一片花瓣 yí piàn huābàn
一片草地 yí piàn cǎodì	一朵花 yì duǒ huā

35

街道 Jiēdào
In the street

游泳池
yóuyǒngchí **1**

图书馆
túshūguǎn **2**

银行
yínháng **3**

摩托车 **4**
mótuōchē

电影院 **8**
diànyǐngyuàn

马路 **7**
mǎlù

汽车 **5**
qìchē

路人 **6**
lùrén

垃圾车 **9**
lājīchē

红绿灯
hónglǜdēng **10**

斑马线 **11**
bānmǎxiàn

公交车站 **12**
gōngjiāo chēzhàn

公园
gōngyuán

邮局
yóujú

市场
shìchǎng

计程车
jìchéngchē

天桥
tiānqiáo

公共汽车
gōnggòng qìchē

1	游泳池 yóuyǒngchí swimming pool	
2	图书馆 túshūguǎn library	
3	银行　yínháng bank	
4	摩托车 mótuōchē motorbike	
5	汽车　qìchē car	
6	路人　lùrén pedestrian	
7	马路　mǎlù road	
8	电影院 diànyǐngyuàn cinema	
9	垃圾车 lājīchē garbage truck	
10	红绿灯 hónglùdēng traffic lights	
11	斑马线 bānmǎxiàn zebra crossing	
12	公交车站 gōngjiāo chēzhàn bus stop	
13	公园　gōngyuán park	
14	邮局　yóujú post office	
15	市场　shìchǎng market	
16	计程车 jìchéngchē taxi	
17	天桥　tiānqiáo overhead bridge	
18	公共汽车 gōnggòng qìchē bus	

连 一 连
Link running

qìchē

hónglǜdēng

gōnggòng qìchē

猜一猜 Guess

红眼睛， Hóng yǎnjing,

绿眼睛 lǜ yǎnjing,

十字街头看车行， shízì jiētóu kàn chē xíng,

绿眼一眨车就走， lǜ yǎn yì zhǎ chē jiù zǒu,

红眼一眨车就停。 hóng yǎn yì zhǎ chē jiù tíng.

读一读 Read

过马路时，要注意红绿灯和周围的车辆，
Guò mǎlù shí, yào zhùyì hónglǜdēng hé zhōuwéi de chēliàng,

如果是红灯或黄灯就要等一等，如果是绿灯
rúguǒ shì hóngdēng huò huángdēng jiùyào děng yì děng, rúguǒ shì lǜdēng

才可以通行。
cái kěyǐ tōngxíng.

量词 Measure word

一条马路　　yì tiáo mǎ lù　　　　一座天桥　yí zuò tiānqiáo

一辆计程车　yí liàng jìchéngchē　　一家银行　yì jiā yínháng

一辆公共汽车　yí liàng gōnggòng qìchē

一家电影院　yì jiā diànyǐngyuàn

自动售票机
zìdòng shòupiào jī
2

时间表
shíjiānbiǎo
3

售票处
shòupiàochù
4

上车
shàngchē
1

候车室
hòuchēshì
5

乘客
chéngkè
6

火车
huǒchē
7

铁轨
tiěguǐ
9

制服
zhìfú
8

公共汽车站
gōnggòng qìchē zhàn

公共汽车司机
gōnggòng qìchē sījī

下车
xiàchē

旅行袋
lǚxíngdài

检票员
jiǎnpiàoyuán

搬运工人
bānyùn gōngrén

行李箱
xínglǐxiāng

月台
yuètái

| 1 | 上车 | shàngchē |
| | get on | |

2 **自动售票机**
zìdòng shòupiào jī
ticket machine

3 **时间表** shíjiānbiǎo
timetable

4 **售票处** shòupiàochù
ticket office

5 **候车室** hòuchēshì
waiting room

6 **乘客** chéngkè
passenger

7 **火车** huǒchē
train

8 **制服** zhìfú
uniform

9 **铁轨** tiěguǐ
rails

10 **公共汽车站**
gōnggòng qìchē zhàn
bus station

11 **公共汽车司机**
gōnggòng qìchē sījī
bus driver

12 **下车** xiàchē
get off

13 **旅行袋** lǚxíngdài
bag

14 **检票员** jiǎnpiàoyuán
ticket inspector

15 **行李箱** xínglǐxiāng
suitcase

16 **搬运工人**
bānyùn gōngrén
porter

17 **月台** yuètái
platform

连一连
Link running

zhìfú

xínglǐxiāng

shòupiàochù

猜一猜 Guess

长长一条龙，　Chángcháng yì tiáo lóng,

走路轰隆隆，　zǒu lù hōng lóng lóng,

跨河又钻洞，　kuàhé yòu zuāndòng,

呜呜向前冲。　míngmíng xiàng qián chōng.

假期的时候我们经常坐火车旅行。爸爸
Jiàqī de shíhou wǒmén jīngcháng zuò huǒchē lǚxíng. Bàba

带着行李箱，妈妈提着行李包，我们背着自己
dàizhe xínglixiāng, māma tízhe xínglibāo, wǒmen bēizhe zìjǐ

的小背包，到火车站，买票、检票、上车，
de xiǎo bēibāo, dào huǒchēzhàn, mǎipiào、 jiǎnpiào、 shàngchē,

一会儿火车开动了，我们可以看书，玩游
yíhuìr huǒchē kāidòng le, wǒmen kěyǐ kànshū, wán yóu-

戏，也可以躺下睡觉或看窗外的风景。坐在
xì, yě kěyǐ tǎngxià shuìjiào huò kàn chuāngwài de fēngjǐng. Zuòzài

火车上就像在房子里一样，舒服自由。
huǒchē shang jiùxiàng zài fángzi li yíyàng, shūfu zìyóu.

量词 Measure word

一座城堡 yí zuò chéngbǎo　　一位王子 yí wèi wángzǐ

一个王子 yí gè wángzǐ　　一位公主 yí wèi gōngzhǔ

一个公主 yí gè gōngzhǔ　　一根木头 yì gēn mùtou

一个夜晚 yí gè yèwǎn

37

机场 Jīchǎng
At the airport

起飞
qǐfēi
3

控制塔
kòngzhìtǎ
1

跑道
pǎodào
2

降落伞
jiàngluòsǎn
4

热气球
rèqìqiú
5

行李列车
xínglǐ lièchē
6

巨无霸喷射客机
jùwúbà pēnshè kèjī
9

飞行员
fēixíngyuán
7

喷射引擎
pēnshè yǐnqíng
8

护照
hùzhào
10

直升机 zhíshēngjī

降落 jiàngluò

飞机 fēijī

空姐 kōngjiě

男空服员 nán kōngfú yuán

1	控制塔	kòngzhìtǎ
	control tower	
2	跑道	pǎodào
	runway	
3	起飞	qǐfēi
	take off	
4	降落伞	jiàngluòsǎn
	parachute	
5	热气球	rèqìqiú
	hot air balloon	
6	行李列车	
	xíngli lièchē	
	baggage train	
7	飞行员	fēixíngyuán
	pilot	
8	喷射引擎	
	pēnshè yǐnqíng	
	jet engine	
9	巨无霸喷射客机	
	jùwúbà pēnshè kèjī	
	jumbo jet	
10	护照	hùzhào
	passport	
11	直升机	zhíshēngjī
	helicopter	
12	降落	jiàngluò
	land	
13	飞机	fēijī
	airplane	
14	空姐	kōngjiě
	stewardess	
15	男空服员	
	nán kōngfú yuán	
	steward	

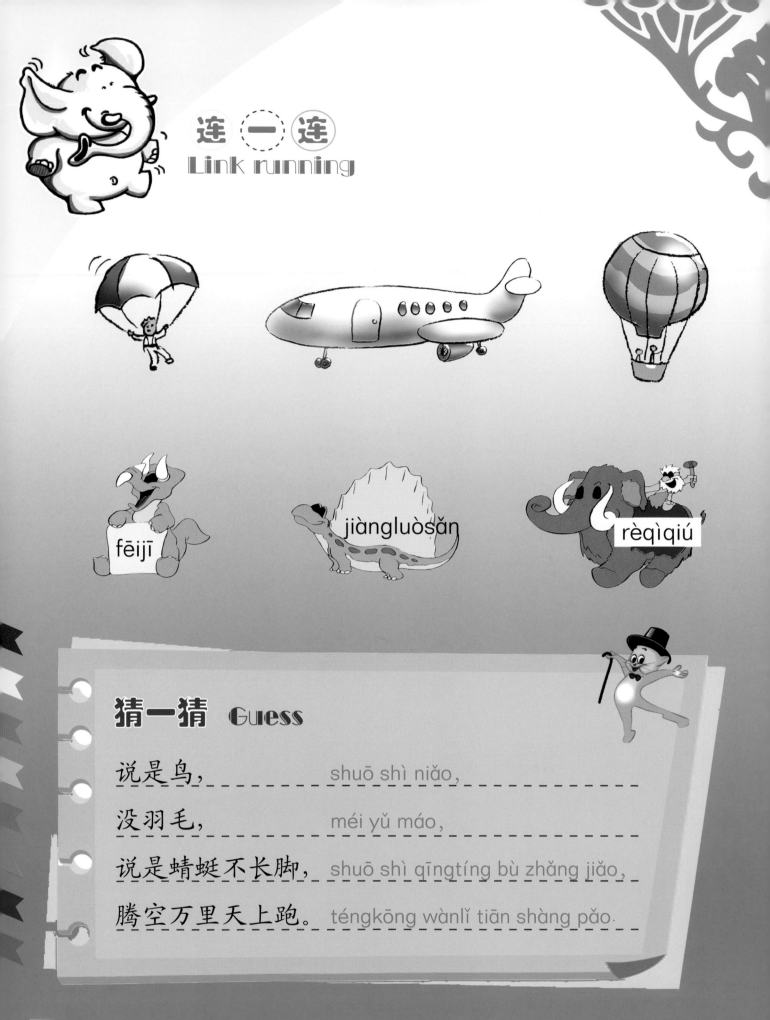

连 一 连
Link running

fēijī

jiàngluòsǎn

rèqìqiú

猜一猜 Guess

说是鸟,   shuō shì niǎo,

没羽毛,   méi yǔ máo,

说是蜻蜓不长脚, shuō shì qīngtíng bù zhǎng jiǎo,

腾空万里天上跑。 téngkōng wànlǐ tiān shàng pǎo.

读一读 Read

现在坐飞机的人越来越多，这使机场变得
Xiànzài zuò fēijī de rén yuèláiyuèduō, zhè shǐ jīchǎng biànde

越来越忙，航空公司的航班也越来越多。站
yuèláiyuèmáng, hángkōng gōngsī de hángbān yě yuèláiyuèduō. Zhàn

在候机楼里你会看到，有的飞机在机场上空
zài hòujī lóu li nǐ huì kàndào, yǒude fēijī zài jīchǎng shàngkōng

盘旋，有的飞机在跑道上滑行，有的则刚脱
pánxuán, yǒude fēijī zài pǎodàoshàng huáxíng, yǒude zé gāng tuō-

离地面向空中爬升，现在的飞机场真是一片
lí dìmiàn xiàng kōngzhōng páshēng, xiànzài de fēijī chǎng zhēnshi yí piàn

繁忙。
fánmáng.

量词 Measure word

一架直升机 yí jià zhíshēng jī   一架飞机 yí jià fēijī

一条跑道 yì tiáo pǎodào   一辆行李车 yí liàng xíngli chē

几名空中小姐 jǐ míng kōngzhōng xiǎojiě

38

港口 Gǎngkǒu
At the harbour

1 海洋 hǎiyáng

2 邮轮 yóulún

3 起重机 qǐzhòngjī

4 游艇 yóutǐng

5 船长 chuánzhǎng

6 客舱 kècāng

7 甲板 jiǎbǎn

8 救生艇 jiùshēngtǐng

9 渡轮 dùlún

10 水手 shuǐshǒu

11 绳索 shéngsuǒ

12 码头 mǎtou

灯塔
dēngtǎ

小岛
xiǎodǎo

浮标
fúbiāo

海鸥
hǎiōu

帆船
fānchuán

潜水艇
qiánshuǐtǐng

1	海洋	hǎiyáng
	ocean	
2	邮轮	yóulún
	cruise ship	
3	起重机	qǐzhòngjī
	crane	
4	游艇	yóutǐng
	barge	
5	船长	chuánzhǎng
	captain	
6	客舱	kècāng
	cabin	
7	甲板	jiǎbǎn
	deck	
8	救生艇	jiùshēngtǐng
	life boat	
9	渡轮	dùlún
	ferry boat	
10	水手	shuǐshǒu
	sailor	
11	绳索	shéngsuǒ
	rope	
12	码头	mǎtou
	jetty	
13	灯塔	dēngtǎ
	lighthouse	
14	小岛	xiǎodǎo
	island	
15	浮标	fúbiāo
	buoy	
16	海鸥	hǎiōu
	seagull	
17	帆船	fānchuán
	sailboat	
18	潜水艇	qiánshuǐtǐng
	submarine	

连一连
Link running

dēngtǎ

fānchuán

yóulún

猜一猜 Guess

海上一只鸟，　Hǎishàng yì zhī niǎo,

跟着轮船跑，　gēnzhe lúnchuán pǎo,

冲浪又捉鱼，　chōnglàng yòu zhuōyú,

不怕大风暴。　bú pà dà fēngbào.

船是一种很重要的交通工具。人类很早就
Chuán shì yì zhǒng hěn zhòngyào de jiāotōng gōngjù. Rénlèi hěn zǎo jiù

发明了船。现在的船种类很多，用途很广。
fāmíng le chuán. Xiànzài de chuán zhǒnglèi hěn duō, yòngtú hěnguǎng.

人们用船运送旅客，运送货物，也用船来旅
Rénmen yòng chuán yùnsòng lǚkè, yùnsòng huòwù, yě yòng chuán lái lǚ

游和休闲娱乐。有的轮船特别大，简直就像
yóu hé xiūxián yúlè. Yǒude lúnchuán tèbié dà, jiǎnzhí jiù xiàng

一座在大海上游动的大楼房。
yí zuò zài dàhǎi shang yóudòng de dà lóufáng.

量词 Measure word

一条绳索 yì tiáo shéngsuǒ 　　一条小船 yì tiáo xiǎo chuán

一座码头 yí zuò mǎtou 　　一座灯塔 yí zuò dēngtǎ

一个港口 yí gè gǎngkǒu 　　一个小岛 yí gè xiǎodǎo

一艘邮轮 yì sōu yóulún

3 流星 liúxīng

1 火箭 huǒjiàn

2 行星 xíngxīng

4 外星人 wàixīngrén

6 火山 huǒshān

5 太空梭 tàikōngsuō

VOLCANO

7 太空船 tàikōngchuán

8 太空衣 tàikōngyī

2 行星 xíngxīng
planet

3 流星 liúxīng
shooting star

1 火箭 huǒjiàn
rocket

4 外星人 wàixīngrén
alien

5 太空梭 tàikōngsuō
space shuttle

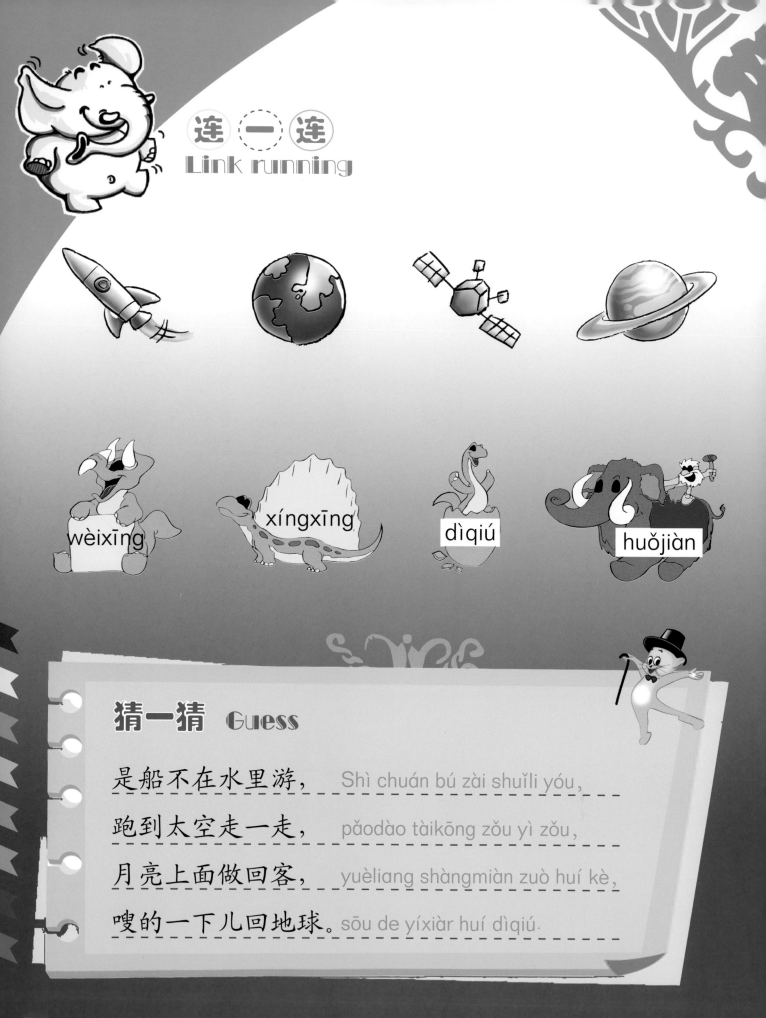

连一连
Link running

wèixīng

xíngxīng

dìqiú

huǒjiàn

猜一猜 Guess

是船不在水里游，　Shì chuán bú zài shuǐli yóu,

跑到太空走一走，　pǎodào tàikōng zǒu yì zǒu,

月亮上面做回客，　yuèliang shàngmiàn zuò huí kè,

嗖的一下儿回地球。sōu de yíxiàr huí dìqiú.

读一读 Read

人类一直梦想着飞向天空。开始发明了
Rénlèi yìzhí mèngxiǎngzhe fēixiàng tiānkōng. Kāishǐ fāmíng le

风筝，后来又发明了飞机，可以在天空中飞。
fēngzhēng, hòulái yòu fāmíng le fēijī, kěyǐ zài tiānkōngzhōng fēi.

20世纪人类发明现代火箭，可以把卫星送上
Èrshí shìjì rénlèi fāmíng xiàndài huǒjiàn, kěyǐ bǎ wèixīng sòngshàng

太空，让它随着地球旋转。人类还建造宇宙
tàikōng, ràng tā suízhe dìqiú xuánzhuǎn. Rénlèi hái jiànzào yǔzhòu

飞船，登上了月球。人类在向着太空中越来
fēichuán, dēngshàng le yuèqiú. Rénlèi zài xiàngzhe tàikōng zhōng yuèlái

越远的地方探索。不知道是不是有一天真能
yuèyuǎn de dìfang tànsuǒ. Bù zhīdào shì bu shì yǒu yì tiān zhēn néng

遇到外星人。
yùdào wàixīngrén.

量词 Measure word

一枚火箭　yì méi huǒjiàn　　　一颗行星　yì kē xíngxīng

一艘太空船　yì sōu tàikōngchuán　　一座火山　yí zuò huǒshān

假期 Jiàqī
On holiday

奶奶、爷爷：
Nǎinai, yéye:

你们好！我们很喜欢这个小
Nǐmen hǎo! Wǒmen hěn xǐhuan zhè gè xiǎo-

岛，这个假期太有趣了。我们每
dǎo, zhè gè jiǎqī tài yǒuqù le. Wǒmen měi-

天早上八点起床，妈妈去菜市场
tiān zǎoshàng bā diǎn qǐchuáng, māma qù càishìchǎng

买菜，然后安娜和我坐小火车去看
mǎicài, ránhòu Ānnà hé wǒ zuò xiǎohuǒchē qù kàn

向日葵。我们每天在阳光下玩儿。
xiàngrìkuí. Wǒmen měitiān zài yángguāng xià wánr.

现在要去吃午饭了。
Xiànzài yào qù chī wǔfàn le.

再见啦！
Zàijiàn la!

爱丽，安娜
Àilì, Ānnà

To: Mr and Mrs

奶奶、爷爷：
Nǎinai, yéye:

你们好！我们在岛上，晚上
Nǐmen hǎo! Wǒmen zài dǎoshàng, wǎnshang

的时候可以看北极星。我很想去
de shíhou kěyǐ kàn běijíxīng. Wǒ hěn xiǎng qù

看看火山太空船，艾立想去坐直
kànkan huǒshān tàikōng chuán, Àilì xiǎng qù zuò zhí-

升机，但爸爸说他想让我们去坐
shēngjī, dàn bàba shuō tā xiǎngràng wǒmen qù zuò

热气球，又到吃晚饭的时间了！
rèqìqiú, yòu dào chī wǎnfàn de shíjiān le!

再见！
Zàijiàn!

艾迪,艾立
Àidí, Ài lì

To : Mr and Mrs _____

_____

_____

_____

_____

猜一猜——谜底

单元一：冰箱

单元二：电话

单元三：裤子

单元四：眼睛

单元五：筷子

单元六：盐

单元七：碰碰车

单元九：生日蛋糕

单元十：帽子

单元十一：香蕉

单元十二：时钟

单元十三：洋娃娃

单元十四：兔子

单元十五：袋鼠

单元十七：蚂蚁

单元十八：海豚

单元十九：铅笔

单元二十：温度计

单元二十一：头发

单元二十二：千斤顶

单元二十三：火

单元二十五：溜滑梯

单元二十六：云

单元二十七：山羊

单元二十八：狼

单元二十九：鼓

单元三十：旗子

单元三十一：风

单元三十三：星星

单元三十四：向日葵

单元三十五：红绿灯

单元三十六：火车

单元三十七：飞机

单元三十八：海鸥

单元三十九：太空船

生词表

D

图书在版编目（CIP）数据

我的第一本中文词汇书 / 琳达·甘（英）编.
北京：外文出版社，2009
ISBN 978-7-119-04968-7
I. 我… II. 琳… III. 汉语－词汇－对外汉语教学－自学参考资料
IV.H195.4
中国版本图书馆CIP数据核字（2009）第050136号

著作权合同登记图字：01-2008-4898

责任编辑：曲　径
编　　辑：孙乙鑫
装帧设计：老　马
印刷监制：韩少乙

我的第一本中文词汇书

琳达·甘（英）　著

© 2009外文出版社
出版发行：
外文出版社（中国北京百万庄大街24号）
邮政编码 100037
网址：http://www.flp.com.cn
电话：008610-68320579（总编室）
　　　008610-68995852（发行部）
　　　008610-68327750（版权部）
　　　008610-68996075（编辑部）
印刷：
北京外文印刷厂
开本：787mm×1092mm　1/16　印张：10.75
2010年3月第1版　第2次印刷
（汉英）
ISBN 978-7-119-04968-7
05900（平装）